La conscience
chez
les personnes Alzheimer

Étude de cas
et éthique des comportements

Marie Guertin

MÉDIASPAUL

Les Éditions Médiaspaul remercient le ministère du Patrimoine canadien, le Conseil des Arts du Canada et la Société de développement des entreprises culturelles du Québec (SODEC) pour le soutien qui leur est accordé dans le cadre des Programmes d'aide à l'édition.

Données de catalogage avant publication (Canada)

Guertin, Marie

    La conscience chez les personnes Alzheimer: étude de cas et éthique des comportements

    (Collection Vivre plus; 11)
    Comprend des réf. bibliogr.

    ISBN 2-89420-411-6

    1. Alzheimer, Maladie d' — Aspect psychologique. 2. Alzheimer, Maladie d' — Cas, Étude de. 3. Alzheimer, Maladie d' — Patients — Attitudes. I. Titre. II. Collection.

RC523.G83 2000   362.1'96831'0019   C00-940418-X

Composition et mise en page: *Médiaspaul*

Maquette de la couverture: *Summum Grafix*

ISBN 2-89420-411-6

Dépôt légal — 2ᵉ trimestre 2000
Bibliothèque nationale du Québec
Bibliothèque nationale du Canada

© 2000   Médiaspaul
               3965, boul. Henri-Bourassa Est
               Montréal, QC, H1H 1L1 (Canada)
               www.mediaspaul.qc.ca
               mediaspaul@mediaspaul.qc.ca

               Médiaspaul
               8, rue Madame
               75006 Paris (France)

À la mémoire de mes parents
et de ma sœur Claire

POURQUOI CETTE ÉTUDE?

*La philosophie est née de la pratique elle-même
et elle doit s'y enraciner sous peine de se perdre
elle-même dans l'abstraction.*

Jean Moussé

On se demandera comment une simple bénévole a l'audace de vouloir s'exprimer sur la maladie d'Alzheimer, n'étant elle-même ni médecin ni infirmière. De prime abord, une telle décision peut faire sourire les savants en la matière. Mon intérêt mérite donc un mot d'explication.

C'est d'abord au sein de ma famille que j'ai été amenée à m'intéresser à cette maladie. Malheureusement, plusieurs membres de la famille avaient été frappés par l'Alzheimer: ma grand-mère maternelle, puis ses enfants dont ma mère[1], puis ma sœur aînée. Durant plusieurs années, j'ai essayé de comprendre ce qui se passait, mais faute de temps je ne pouvais réfléchir plus longuement sur la maladie.

L'occasion vint à moi en avril 1996 lors de l'admission de ma sœur aînée à Villa Marguerite, au Centre Elisabeth Bruyère[2]. Non seulement j'assistais ma sœur, mais j'ai pu m'y impliquer comme bénévole de 1997 à 1999, grâce à la bienveillance des gestionnaires des Ressources bénévoles, Mme Caroline Horgan, puis Mme Sally Batstone, ainsi qu'à celle de la directrice des soins de Villa Marguerite, Mme Lyne D. Chartrand[3].

Cette expérience vécue avec les malades, leurs parents et amis, le personnel soignant et d'autres bénévoles m'a conduite à un réel cheminement intellectuel et moral à propos des Alzheimers[4]. Intellectuel, parce que mon jugement était constamment confronté à la réalité des personnes souffrantes et se formait en présence des faits et non d'après des idées reçues ou des préjugés. Moral, parce que, en nous invitant à l'attention et à la sympathie envers leurs misères et envers tout ce qui est humain chez eux, les Alzheimers nous élèvent et nous rendent meilleurs nous-mêmes.

Ayant fait des études universitaires dans les Humanités, notamment en littérature et en philosophie, j'ai voulu mieux comprendre la nature de la maladie, non pas sous l'angle médical, faute de compétence en ce domaine, mais sous celui de l'anthropologie et de la psychologie pratique[5].

Mon objectif, en m'exprimant sur l'Alzheimer et sur les personnes qui en sont atteintes, est de tenter de donner un nouvel éclairage sur ce type de maladie à partir des attitudes et des comportements que j'ai observés. C'est aussi de m'interroger non seulement sur la mémoire handicapée, mais également sur un problème de fond, à savoir quelle sorte de conscience demeure chez les personnes Alzheimer. À la lumière de mon expérience, je tenterai d'apporter de nouvelles précisions permettant de saisir ce qui est en jeu dans ce problème. Je dégage de ce questionnement sur la conscience chez les personnes Alzheimer toute une éthique des comportements.

Je me suis réjouie d'ailleurs d'apprendre, en novembre 98 dans la revue *Science*[6], que le psychiatre Barry Reisberg de l'Université de New York, venait de créer une nouvelle discipline, celle qu'il appelle «Science of Alzheimer's Management» et qui serait, d'après ses explications, la science des conduites relatives aux personnes atteintes d'Alzheimer[7].

Tout au long de mon étude, j'aborde des cas: j'en décris quatre-vingts à la fin du Chapitre 3, tout en préservant l'anonymat des personnes concernées.

Si j'ai reporté en annexe du Chapitre 3 quatre-vingts cas, c'est pour permettre aux lectrices et aux lecteurs de former plus librement leurs propres idées sur le sujet.

Je ne prétends certes pas apporter un jugement définitif sur les personnes touchées par l'Alzheimer: mon but est d'ouvrir davantage les débats aux intéressés, de partager diverses expériences vécues, de progresser vers une plus grande compréhension de nos malades, ceci pour mieux les aider et les aimer.

Je tiens à remercier Mme Mireille Éthier-Danis et son équipe pour l'accueil chaleureux à la bibliothèque du Pavillon Elisabeth Bruyère, le personnel infirmier de Villa Marguerite, sœur Louise Marguerite pour son appui et ses conversations, enfin Mme Jocelyne La Casse pour l'aide généreuse qu'elle m'a apportée dans la mise en forme de ce travail.

Références

[1] Ainsi que ses deux frères et sa sœur.

[2] Qui appartient au SCO, Service de santé des Sœurs de la Charité d'Ottawa.

[3] L'ancienne directrice des Soins de Villa Marguerite, Mme Gloria Laporte, me laissait également converser avec les résidents.

[4] Je pense toujours à la personne humaine lorsque j'emploie les expressions *les Alzheimers* ou *l'Alzheimer*. Et ce terme désigne dans ce texte tantôt la maladie, tantôt la personne qui en est atteinte.

[5] Je crois qu'il y a une affinité entre les sciences humaines et la gériatrie. Après tout, la gériatrie s'occupe de l'être humain.

[6] «What all this comes to is a new science of Alzheimers' Management, says one of the pioneers of the reserch NYU psychiatrist Barry Reisberg.» dans Maria Barinaga, «Neurodegenerative Diseases: Alzheimers' Treatments that Work Now. Caregivers Need Heading too», *Science*, vol. 282, novembre 1998, p. 1030.

[7] Pour une définition médicale de la maladie, voir page 96.

CHAPITRE 1

LES SIGNES ANNONCIATEURS
DE LA MALADIE

Chaque fois que je vois le visage d'un malade,
j'entends un appel au secours de l'Humanité.

Jean Vanier

Beaucoup de médecins spécialistes, ainsi que des membres de la Société de l'Alzheimer, se sont expliqués par écrit ou prononcés oralement ou à l'aide de vidéocassettes sur la nature de l'Alzheimer. Une vaste littérature inonde les bibliothèques de l'Occident et j'ai lu moi-même quelques spécialistes sur ce sujet.

Mon objectif ici n'est pas de les suppléer, mais d'orienter les lectrices et les lecteurs vers une autre perspective, anthropologique et psycho-pratique, qui saisit les données empiriques de la maladie par l'intermédiaire des malades eux-mêmes et de ceux qui les côtoient quotidiennement.

Il est donc nécessaire de faire d'abord une brève description des signes annonciateurs de l'Alzheimer chez les personnes qui en sont les victimes. Ces signes sont des «sonnettes d'alarme» pour les parents et les amis qui voient les leurs frappés par cette grave maladie. Vont-ils entendre ces «sonnettes d'alarme» suffisamment à temps pour porter secours au malade? Voilà, me semble-t-il, la première question qui mérite notre attention. C'est à partir de la santé, donc du bien-portant, qu'il faut s'interroger.

Définir ce qu'est un «bien-portant», c'est peut-être moins facile qu'on l'imagine! Essayez de chercher en vous-même une définition du bien-portant. On peut examiner l'expression elle-même: elle signifie «quelqu'un qui se porte bien», contrairement à l'expression «mal-portant», «quelqu'un qui se porte mal». En s'arrêtant sur la notion de *bien*, on est conduit à ce qui est bon, donc à du positif, tandis qu'à l'inverse la notion de *mal* conduit à ce qui est négatif, donc mauvais. Un bien-portant est donc une personne en bonne santé: il n'a ni maladie interne ni maladie externe. Mais qu'est-ce, plus précisément, qu'être en bonne santé? À mon sens, c'est pouvoir jouir de sa liberté: la liberté du corps et de l'esprit. Rien ne freine ni ne gêne les mouvements internes de l'âme et les mouvements externes du corps. Rien n'empêche alors le cerveau d'exercer normalement ses fonctions de perception, d'imagination, d'expression, de langage, de même que rien ne lui interdit de présider aux gestes quotidiens ou de réguler les fonctions physiologiques. En d'autres termes, il y a coopération harmonieuse et aisée entre les activités internes et externes qui sont le privilège d'une personne en bonne santé. C'est la raison pour laquelle je définis la santé comme liberté. Cette santé-liberté se vit en chacun de nous comme un don, un bienfait. On déborde d'énergie, on peut vaincre les obstacles quotidiens, marcher, sauter, danser, grimper sans avoir de problèmes. La santé, c'est la liberté, parce qu'on la vit comme un acquis sur lequel on peut compter. Elle permet en particulier l'adaptation à notre environnement, une adaptation vécue avec aisance et sans achoppements. Elle est une harmonie du corps, de l'intelligence et de l'âme, harmonie qui crée un équilibre entre le psychique et le physique, qui agit dans le silence comme une mécanique bien huilée et bien rodée. Les personnes en santé ne pensent pas à leur condition, elles vivent. Elles ne se demandent pas comment elles pensent ou parlent, agissent ou s'habillent, etc. Elles accomplissent tous ces actes spontanément. C'est pourquoi la santé est vécue à demi consciemment, comme un don de liberté.

Une personne en bonne santé peut parfois être distraite ou avoir des oublis. Généralement, ces distractions et ces oublis sont passagers et souvent ils sont dus à l'énervement et à la fatigue. On suppose dans l'ordinaire de la vie qu'il est normal d'oublier et c'est pourquoi il y a des agendas dans divers bureaux pour enregistrer les rendez-vous à telles heures de la journée. Il arrive également qu'une personne en santé ne retienne, par exemple dans le cas d'un accident automobile dont elle aurait été témoin, qu'une partie des événements qui se sont produits. C'est la raison principale qui fera qu'il y aura un relevé établi par tous les témoins qui étaient sur les lieux et ce n'est que d'après tous ces témoignages que les experts arriveront à reconstituer les faits.

La même chose se produit à propos d'événements quotidiens: on a besoin de repasser les détails pour reconstituer la réalité de ce qui a été vécu. En fait, les personnes en santé passent leur vie à retenir et à refouler dans l'inconscient un très grand nombre d'informations, faute de quoi elles ne pourraient vivre. L'oubli est nécessaire, comme la mémoire est nécessaire. La mémoire a deux versants, l'un à court terme qui capte le présent, l'autre à long terme qui conserve le passé de l'individu. Ainsi, les personnes en santé pourront aisément se repérer dans le temps et, si elles oublient des données, elles se ressaisiront et se retrouveront facilement dans l'ordre des idées et des actions. Au demeurant, il est notoire que certains individus sont doués de plus de mémoire que d'autres; par contre, une mémoire bien entraînée dès le jeune âge aide à la fois les uns et les autres.

En général, toute personne en santé passe ses journées, sans nécessairement s'en rendre compte, à retenir par mémorisation des perceptions sensorielles: la vue, l'ouïe, l'odorat, le toucher, le goût ont leur mémoire propre et suscitent des associations d'idées et d'images. C'est ce qui se passe en nous, le plus souvent à notre insu, quoique nous puissions ensuite rétablir un certain ordre entre ces souvenirs fugitifs.

Qu'en est-il, en regard de cette condition du bien-portant, de celle de la personne qui subit les premiers symptômes de l'Alzheimer? Il faut dire tout de suite que cette femme ou cet homme ne se sait pas malade, donc ne se perçoit pas comme une ou un Alzheimer. Et il en est de même de ceux qui les entourent, ils ne les perçoivent pas non plus comme tels. Pourquoi? Parce que la maladie s'infiltre dans le cerveau et gagne le malade de manière sournoise et invisible. Elle ne commencera à apparaître que par quelques signes plus ou moins visibles, et, en général, espacés dans le quotidien.

À l'inverse de la personne en santé qui vaque avec sûreté à ses affaires et dans la certitude quant à ses démarches, celle qui est atteinte d'Alzheimer aura à faire face soudainement à de l'inattendu, ce qui ne cessera de lui causer de nombreuses surprises, à mesure que les avatars de la maladie se multiplieront. Elle tombera ainsi dans un état d'incertitude. Par exemple, en allant faire ses courses à l'épicerie du coin, elle peut tout à coup ne plus se souvenir, pour retourner chez elle, de la route qu'elle a parcourue une heure auparavant. Elle peut lire le nom de la rue sans pour autant se représenter le schème de la route qui conduit à son domicile. Il n'y a plus de repère dans sa tête ni pour la route ordinaire ni pour une autre qu'elle aurait imaginée aisément dans son état normal. Elle se trouve devant un blocage complet.

Prise soudain d'angoisse, cette personne déconcertée s'interroge intérieurement: Qu'est-ce qui m'arrive? se dit-elle. Pourquoi est-ce que je ne reconnais plus mon chemin? Pourquoi suis-je dans un état pareil? Comment se fait-il que j'aie pu venir ici faire mes emplettes et que, à présent, je sois dans l'impossibilité de revenir à la maison?

On peut imaginer, si on y réfléchit, ce que ce serait pour soi-même que de se trouver dans cette situation aussi inattendue que troublante! Troublante, cette situation l'est assurément, car la perception du sujet qui y tombe est fortement ébranlée. Celui ou celle qui éprouvait un moment auparavant un sentiment de certitude et de sécurité se voit en effet plongé, par une cause inconnue à ses yeux, dans le doute et dans l'incertitude.

À mesure que les mauvaises surprises de ce genre se multiplient dans la vie courante de la personne Alzheimer, la peur liée à l'incertitude grandit en celle-ci. Peur de se voir dans un tel état, alors qu'elle se refuse encore, par crainte d'être jugée de travers, d'en glisser un mot à son entourage. L'angoisse s'accumule alors dans l'isolement et se nourrit sans cesse d'un monologue intérieur.

Autres exemples de ces mauvaises surprises qui conduisent au même état de peur, de crainte et d'angoisse: on se trompe d'immeuble ou d'appartement, on ne reconnaît pas une personne pourtant familière, on éprouve des difficultés à compter correctement son argent dans son portefeuille, on oublie de transmettre un message qu'on a reçu au téléphone ou de surveiller la soupe qui bout sur la cuisinière.

Or, plus les occasions d'oublier s'accroissent, plus le malade qui prend conscience après coup de ces oublis se culpabilise. Il se compare aux autres et se sent différent et diminué. Alors, s'il n'ose pas demander de l'aide, l'interrogation et le doute augmentent en lui avec ces anomalies. À mesure que les incidents se font plus nombreux, la personne subit des chocs psychologiques importants: sa mémoire lui joue de mauvais tours. Est-ce dû à la fatigue, à l'énervement? se demande-t-elle. Elle combat continuellement cet état de choses, ce qui est aussi éprouvant qu'épuisant.

Le problème, avec la maladie d'Alzheimer, c'est qu'elle montre le bout de son nez sournoisement. Si au début les inattentions, les oublis semblent anodins, tôt ou tard ils font de plus en plus partie du quotidien de la personne. Et celle-ci, qui pouvait chercher des «excuses» à tous ces accidents anodins, finit par se juger incapable, car ils deviennent plus fréquents et alarmants.

Pour évoquer une image, on pourrait prendre celle du lierre qui peu à peu envahit un arbre: si on ne l'arrache pas à la racine, il finit par l'étouffer et le tuer. C'est ainsi que la personne frappée par l'Alzheimer est envahie du dedans par un mal qui peu à peu l'étouffe, la dénature et la détruit.

On pourrait encore dire que cette maladie est semblable à un «mauvais génie invisible», qui d'un coup de baguette magique jetterait un mauvais sort sur sa «victime» en la faisant trébucher dans toutes sortes de pièges aussi inattendus qu'humiliants. Ainsi, la personne atteinte par l'Alzheimer en est devenue la victime, un peu comme une «marionnette». De sûre d'elle-même et de libre qu'elle était, elle s'achemine vers la condition d'un être entravé et à demi enchaîné. Elle ressemble à un oiseau qui volait aisément, mais qui soudain, étant blessé, se borne à battre les ailes, parce qu'il ne peut plus voler.

C'est un drame de ce genre qu'aura à vivre le malade. Et s'il finit par appeler au secours en se confiant à un proche, le drame ne sera pas terminé pour autant. Il aura encore à apprendre le terrible diagnostic de la médecine, ce qui sera pour lui une nouvelle épreuve psychologique très difficile. Il va lui falloir continuer à vivre son drame dans la vive conscience qui est encore pour le moment la sienne, mais qu'il craint, angoisse affreuse, de perdre tout à fait!

Chapitre 2

LA PSYCHOLOGIE DES MALADES

Quand on ne possède rien qu'un cœur aimant
et un regard attentif, on n'a pas le temps de s'ennuyer.

Nicolas Bokov

Si, au premier chapitre, je m'attachais à faire ressortir quelques aspects des premières phases de l'Alzheimer, je porterai maintenant mon regard sur les personnes dont la maladie s'est déclarée et dont l'état maladif est plus ou moins prononcé. Je tenterai donc de mieux comprendre, dans une perspective phénoménologique et psychologique, la nature de cette maladie.

Essayer de saisir ce qui se produit chez les malades de l'Alzheimer n'est pas une tâche facile. En effet, cette maladie s'avère fort complexe dans sa nature, tout comme dans ses effets. J'ai déjà donné une description et une analyse de ses débuts. J'ai signalé combien les personnes atteintes de l'Alzheimer perdent confiance en elles, doutent d'elles-mêmes et combien, chaque fois qu'elles se trouvent devant une difficulté insurmontable, elles subissent un choc psychologique, source de grande crainte.

Le fait de se savoir atteinte de l'Alzheimer ne changera pas grand-chose dans le vécu de la personne concernée: elle continuera d'en subir les effets nocifs et d'en pâtir. Elle se heurtera seulement, au fur et à mesure que la maladie avancera, à de plus grandes surprises et à de plus profondes déceptions. Ceci, malgré certains effets positifs des médicaments pris pour alléger ou retarder le processus destructeur.

En fait, le malade se trouve malheureusement pris au piège dans un monde qui, de connu et familier qu'il était, lui devient graduellement inconnu et étrange, voire hostile. Le monde lui signifie alors la triste réalité qui lui renvoie, comme dans un miroir, l'image de ses incapacités et de ses nombreux échecs. Plus le progrès de la maladie se fait sentir, plus le malade ressent ces sortes de blessures psychologiques.

À l'inverse, lorsque, dans cet univers de déceptions, le malade réussit avec beaucoup d'efforts par exemple à s'habiller, à prendre un objet, à parler correctement, à reconnaître une autre personne, une sorte de contentement interne le soulage. Il aime à se dire capable de vivre dans ce monde rempli, pour lui, d'embûches soudaines de plus en plus nombreuses.

Il ne faut pas oublier non plus que les malades sont tombés dans un état de dépendance. Ils ne sont plus en mesure de subvenir à leurs besoins, même les plus simples. Ils ont besoin d'être assistés, selon les cas, le matin au lever pour se laver et s'habiller, pour marcher à la salle à manger et pour manger, pour revenir au salon et pour se récréer dans la journée, etc. La nécessité de cette assistance varie en proportion de l'avancement de la maladie[1].

C'est pourquoi les Alzheimers vivent dans un état perpétuel de vicissitudes et en quelque sorte d'angoisse existentielle qui peut faire songer au fameux dilemme d'Hamlet: «To be or not to be». En effet, cette alternance d'oublis et de reconnaissances, d'échecs et de réussites, fait en sorte que le malade est confronté, de façon continuelle, à l'angoissante question «de vivre ou de ne pas vivre», puisqu'il passe sans cesse du sentiment d'avoir prise sur la réalité à celui de voir cette réalité lui échapper, sans qu'il n'y puisse rien. C'est cela qui crée une véritable angoisse existentielle[2].

Ces variations si vives, du matin au soir, dans la capacité d'apercevoir, d'imaginer, de comprendre, de juger, de se souvenir, de converser et d'agir proviennent de changements physiologiques qui s'effectuent, indépendamment de la volonté du malade, dans les connexions entre ses neurones cérébraux. Quand ces connexions ne se font pas ou se font mal, le malade se trouve pris comme dans un court-circuit, étant lui-même incapable de rétablir le courant. Ainsi, A parlera avec un proche au cours de la matinée et quinze minutes après, tout en se souvenant avoir vu celui-ci, il sera incapable de raconter la conversation. B saura que c'est mardi, mais une heure après, il l'ignorera. C mettra sans difficulté ses souliers le matin et, l'après-midi, il n'y arrivera plus. D retrouvera la direction du couloir où se trouve sa chambre et le lendemain, il se perdra. E composera le numéro de téléphone de F et ne pourra plus le faire pour G.

C'est ainsi que les Alzheimers se retrouvent continuellement dans un état d'instabilité et d'incertitude.

Or, s'il leur arrive de ne pas se rendre compte sur le moment de leurs défaillances, ils peuvent en prendre conscience un peu plus tard, soit d'eux-mêmes, soit que quelqu'un de l'entourage les leur fasse remarquer. Alors, se voyant empêchés d'agir correctement, ils appellent au secours, tandis que, en eux, l'interrogation surgit: «Comment se fait-il que je ne réussisse pas à placer ma robe correctement sur le cintre?» «Pourquoi est-ce que je ne trouve plus mon sac à main?» «Où est ma canne? Je l'avais tout à l'heure.»

Il semble donc, quand on réfléchit à la maladie, que la perte de mémoire ne soit pas seule en jeu, mais qu'on ait affaire à des troubles plus ou moins graves dans les facultés de percevoir, d'imaginer, de converser, de s'orienter, de saisir les objets et de les manipuler. Comme pour la mémoire, on a affaire, en ces domaines, à une alternance de réussites et d'échecs. Ainsi, on pourrait dire que l'Alzheimer se trouve dans une situation comparable, quoique beaucoup plus grave et angoissante, à celle d'une personne qui, repassant des vêtements, aurait à subir constamment les variations ou les interruptions du courant électrique: son repassage s'en ressentirait beaucoup.

Je risquerai ici une hypothèse sur ce qui semble un symptôme assez courant de la maladie de l'Alzheimer, à savoir que les facultés de repérage et d'orientation dans l'espace sont les premières à subir de sérieux handicaps. Cela provient sans doute de ce que l'espace dans lequel on vit est une chose extérieure à soi dont on ne perçoit jamais qu'une très petite partie et qu'il faut par conséquent en imaginer une grande partie pour s'y repérer et s'y orienter convenablement. Dès que le cerveau est atteint, cette représentation est sans doute très difficile à imaginer. Par contre, le malade conservera plus longtemps une représentation précise de l'espace qui lui est le plus proche et qui est le plus lié à sa vie personnelle, comme l'image vive de sa maison, de son jardin, de sa chambre, peut-être de sa rue. Ce qui lui est très difficile, dès qu'il est atteint de la maladie, c'est par exemple de situer ce petit espace familier dans l'espace plus grand et plus étranger de la ville. On peut constater aussi qu'en vérité ce traumatisme dans la perception de l'espace s'accompagne de troubles dans la perception du temps. Ainsi, G, qui est arrivé depuis six mois à la maison de retraite s'obstine à ne pas reconnaître comme sa propre chambre celle que, depuis assez longtemps, on lui a donnée. Pour lui, sa véritable chambre demeure celle qu'il avait à son domicile et il ne la reconnaît pas dans la nouvelle, même si on y a transporté quelques-uns de ses objets familiers. D'où vient donc ce refus de G? D'une part, certainement, de ce que G a conservé un souvenir très vif de la chambre qui était la sienne et même du lieu où il se trouvait. D'autre part, de ce qu'il a oublié qu'il a changé de domicile, quoique ce changement se soit effectué avec son consentement. On voit par là que des trous dans la mémoire temporelle affectent aussi la perception juste de l'espace, puisque G n'arrive plus à connecter justement sa nouvelle demeure et l'ancienne, mais continue à vouloir retrouver l'ancienne dans la nouvelle.

Si d'ailleurs on écoute attentivement la conversation des Alzheimers, on peut se former quelque idée de ce qui se trouve à la fois conservé et altéré dans la perception du temps chez ceux qui ne sont pas encore au dernier stade de la maladie. On voit que la plupart d'entre eux, même s'ils ne savent plus quel jour on est, ont gardé une certaine notion encore vive de la distinction entre le passé, le présent et le futur. Ainsi, A dira: «Mon fils doit venir ce soir», ce qui suppose qu'elle distingue bien entre le moment de la journée où elle se trouve et le soir qui est encore à venir. Une autre demandera: «À quelle heure allons-nous souper?» Si on répond: «À 5 heures», elle demandera encore: «Quelle heure est-il maintenant?» Si on lui dit: «4 heures et demie», elle ajoutera: «Il faut donc attendre une demi-heure», ce qui montre que cette personne distingue bien le futur immédiat du présent et garde également le sens de la durée. Ou encore, C questionne avec insistance sa fille qui la quitte: «Vas-tu revenir demain?», tandis que D, de son côté, se demande si sa sœur va venir ce soir. D'autres, moins avancés dans la maladie, gardent un souvenir assez précis du passé immédiat, ainsi M qui dit avoir rendu visite à sa famille dans la journée d'hier. On peut donc conclure que, si la représentation exacte du calendrier a à peu près disparu chez ces malades, une notion des trois moments du temps, passé, présent et futur, est demeurée assez vivante chez la plupart d'entre eux.

La conversation des Alzheimers conduit à des observations tout aussi notables sur la façon dont ils imaginent le monde humain qui les entoure et dont ils y adaptent leur propre vie. Ici encore le souvenir du passé revit dans le présent et fait en sorte qu'ils ne séparent plus nettement l'un de l'autre. Ainsi, A prend le téléphone, croit parler à son père depuis longtemps disparu et lui demande de venir la chercher à l'école où elle enseigne parce qu'elle a bien travaillé toute la semaine et veut revenir chez elle pour le week-end. B s'adresse à sa sœur qui habite à Ottawa, lui demandant comment elle va et lui donnant des nouvelles, plutôt précises, sur l'état de sa propre santé. C, toujours par l'intermédiaire du téléphone, veut parler à son comptable, craignant de n'avoir pas payé sa chambre à la maison de retraite: elle l'interroge sur l'état de son compte bancaire et lui demande s'il a bien envoyé le chèque à la bonne adresse.

Ces trois scénarios m'ont paru mériter réflexion, car ils posent des questions auxquelles ceux qui les observent ne peuvent aisément répondre. Comment se fait-il que ces trois dames qui ne pouvaient entendre que la tonalité du téléphone aient vraiment cru entendre leur interlocuteur ou leur interlocutrice au bout du fil? Comment ont-elles pu poursuivre si longtemps cette conversation qui paraissait très naturelle, puisqu'elles y faisaient questions et réponses? Entendaient-elles, par l'imagination et le souvenir de leur passé, les voix de leurs proches dans leur tête à ce moment-là? Est-ce que les perceptions remontent dans leur imagination et font qu'une discussion de ce type — un monologue converti en dialogue — puisse avoir lieu? Quoi qu'il en soit, quand ces dames m'ont remis l'appareil, elles semblaient soulagées d'avoir conversé avec les personnes souhaitées. Et elles m'ont raconté cet épisode avec un sérieux qui ne méritait certes pas d'être contredit.

Ceci donne peut-être une indication sur la similitude qui existe, mais aussi sur la différence qui s'établit, entre l'état normal et l'état du malade frappé d'Alzheimer. Nous aussi, quand nous prenons le téléphone pour parler à l'interlocuteur que nous ne voyons pas, nous imaginons que cet interlocuteur va pouvoir se trouver au bout du fil. Si celui-ci ne répond pas, nous savons qu'il est absent. Comme nous, la personne atteinte d'Alzheimer a imaginé au bout du fil l'être auquel elle veut parler. Mais dans son cas, l'image de cet être semble avoir «bouché» la perception de la tonalité qui aurait dû l'avertir de son absence. C'est donc sans doute que la distinction, si fondamentale pour nous, entre l'imaginaire et le réel a été beaucoup perturbée.

J'ai pu observer d'autres cas assez semblables, mais qui dénotent, chez le malade, un état à mon avis plus avancé de la maladie. Il s'agit par exemple de personnes qui parlent à leurs animaux en peluche, lapin, chat, chien, ourson, comme s'ils étaient des êtres vivants ou même des êtres humains. Ainsi, une dame amène avec elle son chat en peluche à la salle à manger. Elle le présente aux infirmières ou aux bénévoles qui le font manger comme si c'était son chat vivant, parce qu'elle veut qu'on le traite ainsi. Notons encore à ce sujet que, chez les femmes du moins, car je n'ai jamais observé le fait chez les hommes, on passe aisément de la conversation avec un animal imaginé vivant à la conversation avec un être humain. Je l'ai constaté en particulier chez ma propre sœur. Celle-ci, dans le passé, avait à la maison un chat au pelage beige clair qu'elle appelait Mitsou. Depuis qu'elle se trouvait à la résidence, une voisine lui avait apporté un ourson jaune qu'elle gardait habituellement sur son lit. Or, quand elle entrait dans sa chambre, et voyait l'ourson, elle croyait visiblement que c'était Mitsou, puisqu'elle éclatait de rire et lui disait: «Dis-moi pas que tu es là? Comment as-tu fait pour me trouver ici? Ça fait longtemps que je voulais te voir!» Ensuite, elle le prenait dans ses bras, le berçait en le mettant sur son épaule en disant: «Mon beau petit bébé», comme s'il s'agissait d'un des bébés qu'elle avait bercés autrefois. J'ai observé des faits analogues chez bien d'autres femmes.

Ainsi, chez ces malades, des réminiscences anciennes forment avec des perceptions présentes un cocktail assez étonnant. Il se produit en effet un étrange enchevêtrement des temps et des êtres. Les animaux en peluche qu'on a mis dans la compagnie des malades sont devenus pour eux des moyens de dialogue. Ils comblent en tout cas un profond besoin affectif, meublent leur solitude, contribuent à les détendre et maintiennent même en eux une certaine activité mentale. En outre, j'ai observé un fait étrange qui mérite d'être souligné. Certains de ces malades, qui ont beaucoup de difficultés à s'entretenir avec une autre personne, parlent plus aisément à leurs animaux en peluche. Sans doute sont-ils moins gênés avec ces derniers et en conséquence peuvent-ils laisser jouer bien davantage leur spontanéité. Ainsi, j'ai vu une femme parler à son nounou blanc avec une aisance inaccoutumée. Elle était dans sa chambre à l'abri de regards indiscrets. En passant dans le couloir près d'elle, nous pouvions la voir et l'entendre s'exprimer. Deux infirmières ont été témoins de cela.

Autre aspect de la maladie qui m'a frappée: l'ambiguïté entre l'état de veille et le sommeil. Combien de fois ai-je vu des malades qui semblaient regarder leur soupe les yeux grands ouverts, mais qui sursautaient, comme s'ils avaient été endormis, lorsque je leur disais de la manger. «Tu viens de me faire peur», répliquaient-ils, comme s'ils ne m'avaient pas vue à leur côté. À d'autres moments, ces mêmes personnes ne réagissaient pas devant leur dessert et restaient les yeux fermés, si bien qu'on pouvait les croire endormies. Mais si je leur disais: «Le dessert est là devant vous», elles répondaient aussitôt: «Je le sais, je l'ai vu.»

Un autre trait notable de la maladie est la fixation indéfinie d'un même objet: les malades semblent engloutis dans l'objet ou hypnotisés par lui. Ainsi, certains peuvent passer une partie de la soirée à s'intéresser à leur soulier, d'autres à leur pantalon, à une robe, à une roue du fauteuil roulant. L'un d'eux passait sa journée à fixer la porte de l'ascenseur et les numéros des étages où celui-ci s'arrêtait et il comptait tout haut ces étages, «one, two, three, four, five, six».

Autre exemple analogue, mais cette fois, d'idées fixes. A refusait de manger du poisson le soir. Je lui ai demandé pourquoi. «Du poisson, c'est lourd sur l'estomac, donc je ne veux pas en manger.» Bien que l'infirmière lui ait expliqué le contraire, elle ne réussissait pas à le convaincre: A ne voulait pas démordre de son idée.

Enfin, un des derniers traits de la maladie que j'ai observé et que je veux souligner ici concerne le langage et, plus généralement, l'expression. J'ai remarqué à plusieurs reprises qu'il peut y avoir confusion sur le sens des mots ou même échange de sens. Ainsi, ma sœur avait inversé le sens des mots «reculer» et «avancer». Si on lui disait d'avancer sa chaise à table, elle reculait, et si on lui disait de reculer, elle avançait. De même, en regardant les arbres au parc de Rockliffe, elle parlait de leurs feuilles comme étant des «fleurs».

Si certains malades n'ont plus vraiment l'usage complet du langage pour s'exprimer, ils gardent en mémoire des bouts de phrases et des expressions pour se faire comprendre. D'autres utilisent le langage des gestes pour nous atteindre. Par exemple, ils tendent les bras lorsqu'on passe à côté d'eux, pour attirer l'attention, d'autres se plaignent avec une sorte de lamentation: on finit par saisir ce qui ne va pas chez eux. Par exemple, un homme vient chercher quelqu'un dans le couloir pour ranger ses vêtements qu'il a mis en désordre sur sa chaise et sur son lit. Il fait un signe d'approbation lorsqu'on l'écoute et qu'on met de l'ordre dans le coin. Une femme ne peut parler qu'avec peu de mots, alors elle gémit comme si elle pleurait sur son fauteuil. Elle tend sa main ou lève sa tête pour interpeller quelqu'un dans le couloir. Si quelqu'un s'arrête, elle lui prend la main, cesse de gémir et sourit de contentement. Mais si on la quitte pour s'occuper d'autres personnes, elle recommence à gémir.

Certains malades qui sont alités et quasi muets, mais qui gardent les yeux ouverts, entendent nos pas et nous voient nous approcher d'eux. D'autres, qui ne peuvent ouvrir les yeux, se tournent du côté du bruit, donc de la personne qui vient vers eux.

Les cas que je viens d'évoquer m'amènent à m'interroger de façon plus générale sur ce que les malades Alzheimer perdent ou conservent de leur mémoire. J'ai pu constater tout d'abord que, chez la plupart d'entre eux, il n'y a pas de perte brusque et totale, mais un affaiblissement graduel et d'ailleurs variable selon les personnes. On entend dire souvent que les souvenirs récents sont les premiers à disparaître, du moins à ne plus pouvoir être rappelés, mais j'ai observé personnellement, chez les malades, nombre d'exceptions à cette théorie.

D'après mes propres observations, la mémoire immédiate, celle du passé qui colle au présent, se perd plus rapidement que la mémoire du passé ancien. Pourquoi? Sans doute parce que les Alzheimers n'ont plus la capacité d'attention ni la prise sur le réel qu'ils possédaient avant la maladie et que, par conséquent, même s'ils font beaucoup d'efforts pour se souvenir des événements, ils semblent n'avoir pu retenir, en tout cas distinctement, ce qui vient de se passer à l'instant. Il leur faudrait en effet pouvoir mettre de l'ordre dans le désordre naturel des événements, ce qu'ils ne peuvent plus faire.

Il arrive, cependant, que certains malades se remémorent des événements de la veille, sans doute parce qu'ils ne sont pas aussi avancés que d'autres dans la maladie. Il faut remarquer que ce qu'ils retiennent le mieux concerne les événements qui les ont le plus profondément émus. C'est sans doute que ce qu'on peut appeler la «mémoire du cœur», sur laquelle je reviendrai plus loin, demeure en eux la plus vive. Ce qui leur reste le plus présent du passé lointain est en effet ce qui est lié de près à leur vie personnelle: à leur carrière, à leur histoire familiale, aux lieux où ils ont vécu autrefois. Il est normal qu'ils se rappellent plus aisément ce vécu, qui fait en quelque sorte partie du plus intime d'eux-mêmes et qui, dès lors, revient spontanément à leur conscience. C'est pourquoi si on ne les trouble pas en interrompant par des questions le récit de leurs souvenirs lointains, ils n'auront pas de difficultés à se les rappeler. Et s'ils se trompent, cela ne provient pas d'une erreur dans le souvenir proprement dit, mais bien plutôt de leurs maladresses dans l'utilisation du langage. Si on les interroge alors qu'ils n'ont pas achevé de dire ce qu'ils voulaient dire, on les perturbe et on leur fait perdre le fil des souvenirs qui remontaient en eux.

Quant à la mémoire récente, celle qui porte sur le passé de la veille ou de la semaine, elle me semble victime d'un handicap analogue à celui qui frappe la mémoire immédiate. Peut-être ce passé récent n'a-t-il pas été intégré de façon spontanée à la personnalité du malade. Pour le retenir, il faut donc faire le même effort d'attention que pour retenir ce qui s'est produit à l'instant. Et de cela, je l'ai dit, les malades frappés d'Alzheimer nous semblent peu capables.

Qu'en est-il maintenant de leur mémoire intellectuelle? Se souviennent-ils des sujets qu'ils ont étudiés et des connaissances qu'ils ont acquises autrefois à l'université, au secondaire et au primaire? Là encore, tout dépendra du degré d'avancement de la maladie. Certains malades se rappelleront volontiers des souvenirs liés à leurs enseignants. Cependant, il est rare qu'ils soient capables de se remémorer les matières étudiées et les connaissances acquises[3]. Or, comme le langage est également une discipline que l'on apprend, il n'est pas étrange que, ayant à peu près perdu l'usage de leur mémoire intellectuelle, ils éprouvent tant de difficulté à conserver la maîtrise de leur expression linguistique.

C'est pourquoi, s'ils butent sur le choix des mots alors qu'ils se sont mis d'eux-mêmes à raconter quelque chose, ils se troublent, se perdent et se trouvent comme coincés dans une impasse. Ils en souffrent et en viennent à oublier ce qu'ils voulaient dire. Mais si on a la patience de leur redonner confiance, il arrivera parfois qu'ils le retrouvent, la mémoire spontanée venant au secours de la mémoire volontaire.

J'ai aussi remarqué que plus ils maîtrisent leur langue maternelle, plus ils la conservent longtemps, et s'ils sont bilingues, c'est la langue seconde qui est oubliée avant la langue maternelle. Cependant, j'en ai connu plusieurs qui, pendant assez longtemps, pouvaient comprendre les deux langues officielles du Canada et même s'en servir pour discuter.

Comme on le sait, les habitudes constituent une forme très importante, et en vérité essentielle à la vie, de la mémoire. Que deviennent-elles chez les Alzheimers? D'après ce que j'ai observé, les habitudes motrices qu'on peut dire «pratiques» sont celles qui se trouvent affectées les premières. Ainsi en est-il des habitudes de se laver, de s'habiller, de se peigner, de manger, etc. Remarquons toutefois qu'elles ne s'en vont pas de façon tout aussi régulière et aussi irréversible qu'on le dit parfois. Il arrive que le malade en garde ou en recouvre avec effort une partie. Mais ce qu'il faut souligner, c'est que l'altération, et plus encore la perte totale de ces habitudes nécessaires à la vie quotidienne, est pour le malade une tragédie, car elle le met dans un état de dépendance.

À la différence des habitudes motrices, les habitudes que l'on peut appeler «sensorielles», c'est-à-dire celles qui sont liées à l'usage de nos sens, semblent se conserver plus longtemps. Ainsi, certains malades retrouveront sans peine leur préférence pour certains plats, distingueront les bonnes et les mauvaises odeurs, certains identifieront le visage ou la voix de personnes familières. D'autres se souviendront d'airs de musique et même des paroles de chansons d'autrefois[4].

Pour résumer et illustrer mes idées sur ce sujet, je ne pourrais mieux faire que citer *in extenso* un passage particulièrement évocateur de Virginia Woolf tiré de son roman *Les Vagues*:

> La mémoire est la couturière et certes elle ne manque pas de fantaisie. La mémoire pique son aiguille à droite et à gauche, en haut et en bas, d'ici de là. Nous ignorons ce qui vient, ce qui suit. Le rôle de la mémoire est infiniment hasardeux. La mémoire met l'attention différemment sur une multiplicité de choses. L'esprit reçoit une myriade d'impressions. Et à mesure qu'elles tombent, à mesure qu'elles se réunissent pour former la vie de lundi, la vie de mardi, l'accent se met en place différemment. Ne tenons point pour acquis que la vie existe plus pleinement dans ce qui est habituellement considéré comme important que dans ce qui passe pour insignifiant. (*Les vagues*, traduit de l'anglais par l'auteure, Nathan, Seuil, 1956)

Cette métaphore sur la façon dont la mémoire opère ordinairement en nous peut éclairer vivement ce qu'il y a à la fois de semblable et de différent entre le bien-portant et la personne Alzheimer. Tout d'abord, elle nous avertit, contrairement à un préjugé répandu, que la mémoire n'ordonne pas spontanément ce qu'elle retient. En effet, à l'inverse de ce que suggère l'image de la tricoteuse, à laquelle on compare souvent la mémoire, celle-ci ne sélectionne pas continuellement, dans les choses et les événements qui passent, ce que le sens commun y juge «important», de même qu'elle ne les aligne pas continuellement, comme le font l'horloge et le calendrier pour les heures et les jours. Cette sélection et cet alignement sont l'œuvre d'une reconstruction, tout à la fois intellectuelle et habituelle, dans un cadre social. La mémoire spontanée ressemble davantage, comme le dit Virginia Woolf dans sa comparaison, à une couturière, qui, du moins à l'œil du naïf, paraît piquer ici ou là de façon capricieuse. Elle retient des «myriades d'impressions», mais, du moins au regard de la logique commune, de façon «fantaisiste» et «hasardeuse».

À mon avis, cette mémoire spontanée qui constitue chez le bien-portant la réserve à partir de laquelle celui-ci reconstruit son passé, est celle qui survit le plus longtemps chez la personne Alzheimer. Mais chez celle-ci l'habituelle fonction intellectuelle de reconstruction se trouve atrophiée, de plus en plus gravement à mesure que la maladie avance. Et c'est essentiellement cette capacité de reconstruction et d'ordonnance chronologique et logique qui fait défaut au malade Alzheimer. C'est pourquoi cette personne a tellement besoin de notre assistance pour vaquer aux occupations les plus ordinaires de la vie et y maintenir un ordre à peu près normal.

Références

[1] Les personnes qui arrivent à la phase dernière de la maladie sont alitées: soit qu'elles se trouvent dans une sorte d'état semi-comateux, soit qu'elles dorment, ou qu'elles crient sans arrêt. Mais là encore on les assistera comme les malades en phase terminale.

[2] Cette angoisse entraîne bien souvent les concernés dans une grande déprime ou pire encore, vers l'idée du suicide. Nous avons affaire à un cercle vicieux: la maladie pousse les personnes à la dépression et la dépression enfonce les personnes un peu plus dans l'Alzheimer.

[3] Un malade, autrefois médecin, était capable de converser très intelligemment de ses études et de sa carrière, et même de donner des conseils judicieux à ceux qu'il entendait se plaindre de maux.

[4] Ainsi, l'un d'eux chanta soudain: «Alouette, gentille alouette».

Chapitre 3

LA SURVIVANCE D'UNE CONSCIENCE HUMAINE

Les handicapés sont des êtres humains à part entière et non entièrement à part.

Isabelle Morini-Bosc

J'espère avoir montré, dans le précédent chapitre, que si les personnes Alzheimer voient leurs facultés mentales et pratiques gravement handicapées et atrophiées par l'effet de la maladie, elles gardent néanmoins une conscience humaine vivante, sauf bien sûr dans l'état de semi-coma psychologique où elles finissent par tomber, comme d'ailleurs bien d'autres malades dans le même état[1]. Mon objectif sera maintenant d'envisager certains aspects de cette survivance d'une conscience humaine chez les malades dans le monde qui est le leur. On peut noter tout d'abord qu'ils gardent, beaucoup plus longtemps que bien des gens ne le croient, une personnalité individuelle avec ses traits caractéristiques. Ils continuent à se distinguer les uns des autres non seulement par leur physionomie, mais encore par leur psychologie. Certains malades demeurent timides, tandis que d'autres restent plus hardis. Les uns manifestent un tempérament optimiste, tandis que d'autres inclinent davantage au pessimisme. Quelques-uns sont plutôt grincheux, d'autres, au contraire, presque toujours de bonne humeur, accueillants et dociles. La plupart d'entre eux conservent leur volonté propre, parfois très tenace, leur faculté de se juger eux-mêmes ainsi que leur entourage. Ils expriment encore des goûts variés, par exemple sur la nourriture, sur les vêtements, sur l'aménagement de leur chambre. Ils sont sujets à des émotions, parfois très vives, mais en rapport avec leur caractère particulier. Pourquoi en est-il ainsi? Parce qu'ils demeurent, à travers leur maladie, comme je l'ai montré, des êtres véritablement humains.

1. Préservation et sens de la vie privée

Ces patients gardent entre autres le sens de la vie privée. On a constaté maintes fois combien ils aiment conserver dans leur nouvelle chambre certains objets qui leur appartenaient, comme des meubles, des peintures, une radio, une télé, un fauteuil, un couvre-pied, en provenance de leur domicile. Ils aiment aussi regarder les photos de leur famille qu'on a accrochées au mur, ou posées sur leur commode. Lorsqu'ils invitent des amis dans leur chambre, ils s'attendent à ce qu'on respecte les lieux. Ils nous montrent alors ces divers objets et ils racontent leur histoire familiale, celle qu'ils ont à peu près retenue, autour des photos[2]. Mais ils craignent de voir les uns ou les autres toucher aux choses qui leur appartiennent. Par exemple, si des visiteurs inconnus viennent dans leur chambre, il leur arrive de protester, soit à l'infirmière, soit au bénévole qui se trouvent là: «Dites à cette personne de retourner dans le couloir. Je ne la veux pas ici. Je ne veux pas qu'elle vienne dans ma chambre.» Ou encore: «Tell this lady she is mistaking my room for hers.» Et lorsqu'ils reçoivent des membres de la famille, ils renvoient ceux qui frappent à leur porte: «I have my family here, please go away.»

Plusieurs distinguent encore leurs affaires, leurs vêtements, leurs souliers et leurs pantoufles, etc. Et si d'autres malades se trompent et viennent fouiller dans leur «domaine», on entend des commentaires comme ceci: «Tell this lady that this is not her wardrobe.» Ou: «How come you are here? Nurse, come here, this person is taking my belongings.»

La majorité des Alzheimers ont le sens de l'intimité. Ainsi, ils s'attendent à ce que ce soit le personnel soignant qui s'occupe d'eux pour les doucher, les habiller et les mettre au lit. On entend souvent: «When is the nurse coming to fetch me to go to my room? I'm eager to sleep.» Ou: «Do you know who will give me my shower tonight?» Ils ne souffrent guère qu'une exception à la règle qui veut que ce soit un membre du personnel soignant qui s'occupe de leur vie intime, à savoir son remplacement par un membre de la famille qui s'occupe d'eux régulièrement. Autrement, le malade n'a pas confiance, car il ne veut pas voir un étranger s'immiscer dans son intimité[3]. Les malades qui ne peuvent pas s'exprimer aussi vivement et nettement que d'autres ont quand même une attitude semblable. Ils protestent d'une autre manière, s'ils ne sont pas d'accord avec ce qu'on veut faire pour eux. Ils se rebiffent sur leur chaise, refusent d'être amenés à la douche, ne veulent pas se laisser habiller, etc.

D'autres se font du souci pour des objets auxquels ils tiennent, mais qu'ils ont égarés soit dans leur chambre, soit ailleurs. Ils les cherchent et nous approchent pour les aider à retrouver pantoufles, livres, lunettes et même dentier!

Ils conservent aussi de l'affection envers leurs proches, leur époux, leur épouse, leurs enfants, leur frère, leur sœur. Souvent, ils s'interrogent: «Viendront-ils me voir aujourd'hui?» «Les avez-vous vus?» «Savez-vous pourquoi ma fille n'est pas venue?» Ils voudront leur téléphoner. S'ils vous considèrent comme un ami ou une amie, ils sont heureux de vous voir parler un peu avec leur parenté. S'ils en reçoivent des cadeaux, ils vous les montrent: «Look at my nice earrings, my daughter gave them to me.» «Regardez mes souliers neufs, on me les a donnés.»

Dans le même ordre d'idées, je peux rappeler un trait qui me touche de près. Presque jusqu'au dernier moment de sa maladie, ma sœur aînée se souvenait qu'elle me prenait avec elle pour aller à la petite école du village où elle enseignait. Elle me mettait, se rappelait-elle, dans le panier de son vélo avec son

cartable et elle pédalait. Elle aimait beaucoup évoquer avec moi
ce souvenir.

2. Sentiment de soi et relation avec les autres

Signe qu'ils ont gardé un sentiment de soi, souvent plus vif
qu'on ne l'imagine, les Alzheimers font quelquefois des confi-
dences. Dans certaines situations, s'ils ont confiance en la personne qui se trouve avec eux, qu'il s'agisse d'un ami ou d'une
amie, d'une infirmière ou même d'une bénévole, ils relatent des
choses qui leur sont arrivées. Ainsi, un jour, un malade m'inter-
pelle: «Savez-vous ce que j'ai fait cet après-midi? Je suis allé
prendre un p'tit coup à la Salle Chez-Nous. J'ai bien aimé cela.
Ensuite, on est venu nous chercher pour assister à la messe.
J'avais des remords à cause de mon p'tit coup. Je n'ai rien dit.»
Autre exemple: une dame me demande de l'accompagner dans
sa chambre: «Venez avec moi, j'ai quelque chose à vous montrer. C'est un secret.» Elle m'indique alors l'endroit où elle place
une boîte qu'elle ouvre: on y voit des biscuits et quelques bon-
bons. «Surtout, ne dites à personne où je les cache.» Un autre
jour, une autre personne m'amène dans un coin: «Come here, I
have something to tell you. Which day are we? I cannot
remember very well now?» — «It's Thursday.» — «Oh, then,
come in my room, you have to help me.» Je l'accompagne. Et
voilà ce qu'elle me dit: «It's a secret, don't tell anyone. Open
my wardrobe, take that suitcase, put it on my bed. Thank you.
Now look in my drawer, there is a bag, put it in the suitcase.» —
«Mame, you don't want to go?» — «Don't ask questions, just
do as I say. Put some dresses also in my suitcase. Now put my
suitcase in my wardrobe. Tomorrow when my son comes, I will
be ready to go. Usually, I go to his place for the weekend. I'm
fed up to stay here.»

Nombre de malades savent distinguer les infirmières qui sont
plus promptes que d'autres à venir à leur aide. «Dis donc à A de

venir me voir, je veux lui demander quelque chose.» Je vais au-devant de A. Le malade lui dit: «Pouvez-vous m'apporter des pruneaux? Je voudrais en manger.» Un autre soir, un malade me demande: «Peux-tu dire à l'infirmière B de m'apporter du fromage? Il me semble que ce serait bon.» Ou encore, après le souper, une dame avec une toute petite voix m'appelle: «Qui prend soin de nous ce soir?» Je lui réponds que c'est X. «Alors, dites- lui de me mettre au lit, j'ai mal au dos et aux jambes.» J'avertis l'infirmier, mais il ne peut venir avant dix minutes, car il lave quelqu'un. Je reparle à la dame en lui expliquant qu'on s'occupera d'elle bientôt. Elle réplique: «Oui, mais je ne veux pas veiller, je me sens mal.» Ceci montre que ces diverses personnes ont le sentiment de l'état dans lequel elles se trouvent et savent discerner, dans l'entourage, le personnel qui est le mieux disposé à leur venir rapidement en aide.

D'autres éprouvent de la crainte face à leurs douleurs et s'expriment ainsi: «Voulez-vous appeler l'infirmière? Je ne me sens pas bien. Revenez tout de suite, ne me laissez pas seul.» Ou encore: «Je ne veux pas qu'on me lave.» «Pourquoi?», demandé-je. «Parce que ce matin je me sentais mal sur ma chaise quand l'eau a monté dans le bain.»

Certains n'apprécient pas de porter une «bavette» aux repas: «Pourquoi faut-il la mettre? C'est pour les enfants», disent-ils.

Et quand l'heure de la collation arrive, si l'on sert des jus de fruits, des biscuits, des sandwiches, on peut noter que les pensionnaires s'examinent attentivement les uns les autres pour voir non seulement si on n'a pas oublié de les servir, mais aussi si on n'a pas oublié de servir un autre d'entre eux. Ils ont le sens de l'égalité et n'admettent pas les passe-droits.

De même, ils manifestent, à l'occasion, des volontés très déterminées. On ne leur fera pas faire quelque chose qu'ils se refusent à faire. Ainsi, une dame qui venait d'arriver à l'étage fuyait toute personne qui voulait l'approcher et, quoique d'apparence très timide, disait tout haut en s'enfuyant avec son fauteuil roulant: «Non, non», ce qui voulait dire sans doute: «Laissez-moi.»

J'ai observé des malades qui faisaient la différence entre leur taille et celle des autres: «Regardez, cette dame est bien grosse!», tandis que d'autres distinguaient nettement les messieurs des dames. «Madame, dites à ce monsieur qu'on ne veut pas de messieurs dans nos chambres.»

Les Alzheimers cultivent-ils en eux-mêmes des sentiments amoureux? Dans certains cas du moins, je peux répondre de façon positive. Ainsi, j'ai vu un homme qui éprouvait de l'attachement pour une dame qui était placée au même étage que lui. Il la cherchait parmi les autres, lui faisait une sorte de cour, était plein d'attentions et de sourires. Souvent, il s'assoyait à côté d'elle sur un banc et on les retrouvait, le soir, comme deux tourtereaux, s'admirant l'un l'autre et se tenant la main. Il ne fallait surtout pas s'immiscer dans leurs affaires, bien qu'ils fussent à la vue de tous.

Cet homme savait faire la différence entre lui-même et les autres messieurs. Il leur faisait comprendre que «sa dulcinée» était pour lui et non pour eux. Il chassait ceux qui voulaient l'approcher, avec une petite saute d'humeur offensée.

De plus, lorsque sa dulcinée était placée à sa table pour manger, il la regardait d'un air béat. Il mettait des biscuits soda à côté de son assiette avec un sourire. Il la guettait de l'œil durant le repas et, si elle faisait du bruit avec ses ustensiles, il protestait et mettait ses mains sur ses oreilles en lui commandant d'arrêter de taper avec sa fourchette sur l'assiette. «Ne fais pas cela!» Puis il la regardait avec attention jusqu'à la fin du repas et, même s'il avait fini de manger, il ne bougeait pas, mais restait à l'attendre. De son côté, la dulcinée le suivait du coin des yeux et faisait mine de ne pas trop le voir, de temps à autre. Puis, elle mettait sa main sur la sienne en lui faisant un grand sourire. De plus, cet homme, qui continuait à recevoir la visite régulière de son épouse, faisait la différence entre cette dernière et sa dulcinée. Lorsque son épouse était présente, il ignorait complètement l'autre dame, à table comme dans le couloir. Celle-ci ne semblait plus exister pendant ce temps[4].

3. Préservation d'une vie sociale

Encore habités par un vif sentiment de soi et capables d'un véritable discernement, en particulier affectif, à l'endroit d'autrui et de leur entourage, les Alzheimers entretiennent entre eux et avec cet entourage une vie sociale assez intense, dont je vais décrire ici quelques traits.

C'est en effet à une sorte de reconstitution d'une vie sociale qu'on assiste, tant entre les malades qu'avec le personnel soignant, les bénévoles et les visiteurs. Il faut dire que l'institution, en l'occurrence Villa Marguerite, leur permet de se mouvoir à leur gré sur leur étage, ce qui favorise la sociabilité.

Qu'observe-t-on, en effet? Une volonté d'aller vers autrui et de se projeter vers autrui pour sortir de soi-même. Ainsi, on voit les malades marcher d'une chambre à l'autre, regarder les personnes et les objets qui s'y trouvent. Ils ressortent dans le couloir et vont dans les salons. Si la télé fonctionne, ils s'assoient et la regardent.

Des groupes se forment: des dames parlent entre elles. On ne sait pas toujours à quel sujet, mais l'important est qu'elles se sentent heureuses ensemble. À côté d'elles, un autre groupe de dames converse. Trois d'entre elles écoutent, tandis que les autres parlent. La discussion porte sur les enfants. Anciennes enseignantes du primaire, elles se rappellent leurs souvenirs avec leurs élèves. L'une, se racontent-elles, vivait au Québec, les deux autres en Ontario. L'une portait un chapeau rose que ses amies aimaient regarder et elle, s'apercevant de leur intérêt, prenait plaisir à le leur montrer.

Du côté des hommes, on jase aussi, mais debout, les uns en face des autres. Il ne faut pas alors les distraire, car c'est «du sérieux».

Certaines dames marchent main dans la main le long des couloirs, d'autres causent avec des infirmières et des infirmiers qui passent et vaquent à leurs travaux, ou avec des visiteurs qui leur portent attention.

Autre trait des Alzheimers: même s'ils ne sont pas capables d'une attention suivie, beaucoup apprécient les activités organisées par la maison de retraite à la Salle Chez-Nous, où de nombreuses fêtes et concerts ont lieu, soit l'après-midi, soit dans la soirée, avec le concours de bénévoles qui animent ces assemblées. Ils prennent plaisir à s'investir dans les «parties». On en a eu un exemple frappant, lors de la soirée déguisée organisée en octobre 1997 par le personnel soignant de l'étage. Infirmières et infirmiers se sont présentés avec des costumes très colorés, mais de couleurs tendres pour ne pas effrayer les malades, car ils sont très sujets à la peur, ce qu'on comprend aisément. Une infirmière était habillée en petite fille de 6 ans, une autre en grand-mère d'autrefois, un infirmier s'était déguisé en infirmière, un autre avait revêtu les ailes d'un ange, une autre personne jouait le rôle du clown, etc.

Or, chose étonnante, les malades ont su rapidement identifier, sous les déguisements, les personnes auxquelles ils avaient affaire, tout en reconnaissant le personnage qu'elles avaient voulu représenter!

Ce n'est pas seulement lors des fêtes organisées pour eux que des Alzheimers se montrent capables de vie sociale. Dans le quotidien aussi, ils font preuve d'une certaine attention les uns aux autres. Il y a beaucoup de solidarité entre eux. Ainsi, quelques-unes ou quelques-uns qui circulent dans les couloirs arrêtent leur marche pour parler avec ceux qui sont assis dans leur fauteuil roulant. Les dames donnent un petit bec sur la main ou sur la joue de celles qui sont plus mal en point. Elles leur demandent comment elles se portent. Si elles apprennent que l'une d'elles est au lit malade, elles lui rendent visite.

Voici un exemple frappant d'amabilité: celui d'une dame qui est devenue une amie fidèle de ma sœur aînée. Chacune dînait dans une salle à manger différente. Lorsque la dame, plus âgée de douze ans, finissait de souper, au lieu d'ignorer ma sœur, elle venait à sa rencontre dans l'autre pièce. Elle s'approchait d'elle et lui disait gentiment avec un large sourire: «Avez-vous terminé? Allez-vous bien?» Si ma sœur n'avait pas terminé, elle l'attendait patiemment à ses côtés, assise sur une chaise. Puis toutes les deux marchaient main dans la main dans le couloir jusqu'à la porte d'entrée de la chambre de la dame plus âgée. Celle-ci invitait alors ma sœur à l'accompagner à l'intérieur en lui présentant son plus beau fauteuil[5]. Ensuite, elle lui montrait ses peintures au mur, ses oursons sur son meuble. Elles passaient de très bons moments ensemble, sans refuser de jaser avec d'autres dames qui venaient les voir. Ce qui montre à quel point des sentiments de délicatesse et d'amitié peuvent demeurer très vivants jusqu'à un stade avancé de la maladie.

Les Alzheimers sont parfois sensibles à des situations et à des incidents qui échappent à l'attention de l'entourage infirmier ou bénévole absorbé par le travail[6]. Ainsi, ils peuvent s'apercevoir qu'une ou deux personnes appartenant ordinairement à leur petit groupe sont absentes. Quelquefois, ils indiquent l'endroit où elles se trouvent ou bien la direction qu'elles ont prise. Ainsi, nous cherchions un monsieur en fauteuil roulant qui se déplaçait lui-même. D'un bout à l'autre des couloirs, on ne le voyait pas. Nous avions fait le tour des chambres les unes après les autres. Lorsque nous nous sommes exclamés devant les malades que nous le cherchions, quelques dames qui pouvaient à peine prononcer quelques phrases ont tourné leur tête et, avec leurs mains, nous ont indiqué où il était: dans le salon, que nous avions parcouru sans le voir et où il regardait par la fenêtre.

À un autre moment, nous cherchions deux dames qui, ordinairement, marchaient ensemble. Avec infirmiers et bénévoles, nous jetions un regard dans les chambres, les couloirs et notre inquiétude grandissait, comme dans le cas précédent. Tout à coup, une dame qui ne pouvait parler que dans un jargon incompréhensible s'est avancée en fauteuil roulant pour nous dire quelque chose. Elle s'est mise près de la porte de l'escalier en disant: «Ye, ye, ye!» À l'instant même, en regardant par la vitre de la porte de l'escalier, on apercevait les deux dames assises sur l'une des marches causant paisiblement!

Voici un autre exemple: une dame dans son fauteuil roulant aperçoit un homme qui entre dans sa chambre, ce qui sans doute à ses yeux ne convient pas. Elle vient à moi pour me signaler la chose avec un visage particulièrement alarmé. Les malades conservent donc encore le sens de l'usage et de la norme dans le comportement social, c'est-à-dire distinguent entre le convenable et l'inapproprié. Par exemple, ils n'aiment pas qu'on gronde un des leurs parce qu'il a échappé son verre de lait par terre. Immanquablement, ils tourneront la tête dans la direction de l'incident. D'ailleurs, ils observent la manière dont les bénévoles et le personnel soignant agissent avec eux et ils en tirent certaines conclusions. Ils se comportent donc avec confiance envers ceux et celles qu'ils auront jugé susceptibles de les assister. À l'inverse, ils exprimeront un sentiment de défiance et de crainte envers ceux ou celles qu'ils jugent susceptibles de leur faire du mal. En outre, ils ressentent vivement la bonne comme la mauvaise humeur. C'est alors une sorte de «maladie contagieuse» qui se répand rapidement dans la pièce. Les malades sont ainsi comme des thermomètres qui enregistrent les variations de l'ambiance autour d'eux.

Notons encore qu'ils ont conscience du danger que quelques-uns d'entre eux peuvent représenter pour les autres. Ainsi, ils ont peur et essayent de s'écarter de ceux qui prennent l'habitude de venir à toute allure avec leur fauteuil roulant. Quand cela arrive, celles et ceux qui sont immobiles sur leur siège changent brusquement de visage, étant comme inondés de frayeur. D'autres s'exclament: «X s'en vient, arrêtez-le.»

Notons cet autre exemple d'un comportement jugé, par eux, comme peu convenable. Un soir, quelques dames étant rassemblées à l'entrée de l'étage, l'une d'entre elles se retourne pour regarder à sa gauche. Apercevant quelque chose d'insolite, elle refait tout à coup un demi-tour sur elle-même pour alerter ses voisines. J'ignore ce qu'elle a pu dire, ne l'ayant pas entendu, mais j'ai vu que l'alerte a été aussitôt donnée et que, d'un geste collectif, toutes les dames ont jeté les yeux sur leur gauche en réagissant d'une manière identique à la première. Cette réaction de groupe a fini par me pousser à me lever et à regarder moi-même du côté gauche. Il y avait effectivement quelque chose d'étrange qui se passait. Un homme se tenait droit en s'appuyant sur sa canne, mais l'extraordinaire est qu'il avançait vers les dames en tenue d'Adam. Les dames s'étaient donc rendu compte sans délai de ce qu'il y avait d'inconvenant dans cette situation. Elles ne sortirent de leur émoi que lorsqu'un infirmier alerté vint raccompagner le monsieur dans sa chambre pour lui mettre, tout en le sermonnant, un pyjama.

Autre exemple évocateur de la persistance chez les Alzheimers d'un sens de la convenance et de l'inconvenance: deux dames mangent l'une à côté de l'autre. Au moment du dessert et du thé, l'une, qui a 100 ans, se plaint à l'autre qui a 85 ans qu'elle ne l'écoute pas et ne la regarde pas. Elle élève la voix et pointe du doigt sa voisine, en l'accusant de l'ignorer. Celle de 85 ans lui jette un regard interrogateur, mais continue de manger. Aux menaces répétées de l'autre, elle la regarde déconcertée, mais ne dit toujours rien. Ce même scénario continue encore quelques minutes. Finalement, l'accusatrice de 100 ans dit à l'autre: «Non, non, vous ne voulez pas me parler!» Et l'autre, agacée, lui fait un visage contrarié en s'exclamant: «Bou! Bou!», comme si elle voulait lui dire: «J'en ai assez, votre insistance est impolie!»

Les Alzheimers se perçoivent comme un groupe distinct du personnel soignant. Par exemple, il leur arrive de s'adresser à des bénévoles, qu'ils reconnaissent comme un groupe particulier, en disant «nous» pour désigner les malades, et «eux», pour désigner les soignants. Ainsi, si on leur refuse l'entrée d'une pièce sans qu'ils comprennent la raison de cette défense, ils viennent se plaindre aux bénévoles de la conduite du personnel soignant. «How come they don't listen to us here?» Ou: «Why is it they don't want us to go in this room?», «Why is it we can't take, on our own, the elevator?», «Regardez, Madame, cette infirmière ne porte pas assez attention à nos demandes», ou encore: «Nous sommes malades, nous ne pouvons pas nous débrouiller tout seuls. Pourquoi est-ce qu'on ne s'occupe pas de nous?», etc. Bien souvent, c'est un petit rien, par exemple un manque de temps et d'explication qui fait naître un malentendu à ce sujet, mais le malentendu ne cessera que si l'explication est donnée[7].

4. Illustration d'un réveil de la conscience

Pour clore ce chapitre sur la survivance d'une conscience chez les personnes atteintes d'Alzheimer, je vais raconter un épisode qui montre qu'on peut assister chez elles, de façon inopinée, à un brusque réveil de cette conscience.

Un soir de mai 1997, j'ai amené un groupe de dames dans le salon pour y discuter. Après quelques minutes, je leur ai demandé si elles voulaient regarder la télé. La chaîne était anglophone et j'ai laissé la télévision à cette chaîne pour voir la réaction de ces dames francophones. Quelques-unes regardaient sans trop d'intérêt, mais aussitôt que j'ai mis la chaîne de Radio-Canada, je me suis aperçue que les têtes s'avançaient pour essayer de capter ce qu'on y disait. Les nouvelles n'étant guère intéressantes pour elles, la distraction les gagnait de plus en plus. J'ai continué à changer les chaînes et je suis tombée soudain sur

TV Ontario. Tout à coup, A s'est exclamée: «C'est le français de France.» C'était l'émission *l'École des fans*, émission où les familles assistaient aux entrevues faites par Jacques Martin avec des petits âgés entre 3 ans et 7 ans: il les questionnait sur leur nom, leur âge, ce qu'ils faisaient, ce qu'ils pensaient de leurs parents. Plusieurs enfants chantaient et jouaient d'un instrument de musique à la télé, d'autres dansaient ou récitaient quelque petit poème ou racontaient une histoire. Alors que les nouvelles de Radio-Canada laissaient le groupe indifférent, *l'École des fans* avait brusquement réveillé l'intérêt de ces dames francophones. Les unes riaient en regardant les enfants, les autres disaient: «Regarde comme ils sont beaux.» Tout à coup elles étaient saisies et elles montraient la télé du doigt. L'émission n'avait duré que 15 minutes. Dès qu'elle eut cessé, la déception s'est emparée de ces dames qui ont dit: «Il n'y a plus rien.»

J'ai cherché encore sur d'autres chaînes s'il y avait, ce soir-là, de la musique. Rien. Alors j'ai discuté avec le petit groupe à propos de l'émission de *l'École des fans*: ces dames étaient contentes d'avoir pu la regarder.

Nous sommes alors revenues à TV Ontario. La Providence nous attendait sans doute, car une nouvelle émission commençait à 8 heures. On rediffusait les différents concerts donnés dans chacune des écoles franco-ontariennes par les enfants du primaire, puis par les élèves du secondaire. Dès que le concert a commencé, les dames se sont trouvées de nouveau réveillées par l'écran. Elles fixaient le regard sur lui et nous entendions chacune d'elles admirer les enfants. Il y avait, en effet, des enfants costumés, des mimes, de la danse, des chants et de petits orchestres. Les dames remuaient sur leur chaise, elles riaient entre elles et reconnaissaient des chansons d'autrefois. Ces réactions ont duré une heure et demie. Même deux anglophones étaient venues du couloir nous rejoindre en s'apercevant de l'animation qui régnait dans le petit groupe.

Cet épisode m'a amenée à quelques réflexions. Ces personnes que l'on imaginait avoir tout perdu, tout oublié, ces personnes que l'on jugeait endormies, avaient été ce soir-là, toutes sans exception, bien animées et transformées! Si, au début de la soirée, devant le poste anglophone, elles ne réagissaient pas, pas plus ensuite aux nouvelles de Radio-Canada, un réveil intellectuel s'était produit chez elles dès que l'émission *l'École des fans* avait commencé et cet état d'éveil s'était perpétué à mesure que l'émission progressait. Ce sentiment d'éveil avait atteint un degré maximal avec les concerts des écoles franco-ontariennes.

Si ces dames parlaient un petit peu au début de la soirée lorsque je les avais amenées dans le salon, si ensuite elles parlaient un peu plus avec *l'École des fans*, c'est à une véritable expansion de leur expression orale et mentale que j'avais assisté avec l'émission franco-ontarienne. J'en ai conclu que le fait d'avoir entendu leur langue maternelle pendant une heure et demie les avait replacées dans le bain familier où elles avaient vécu la plus grande partie de leur existence. Ce bain familier leur avait permis de retrouver un vocabulaire qui semblait perdu, pour mieux s'exprimer. Le fait qu'il y avait de la musique, des chants, des enfants avait aussi ressuscité en elles toutes sortes de souvenirs. Ce réveil inopiné de la conscience m'a vivement frappée, car il m'a révélé le potentiel non utilisé qui demeurait bien présent chez ces dames!

Et comme je leur demandais si elles aimeraient revoir des émissions semblables, elles ont toutes en chœur répondu «oui». Comme elles manifestaient une joie et une animation assez extraordinaires, quelques parents des malades et quelques membres du personnel soignant en ont été surpris et émerveillés autant que moi.

Or, le lendemain, ces dames ont pu se rappeler l'émission. Je leur ai demandé si elles aimeraient en écouter d'autres et elles ont répondu «oui» tout de suite, ce qui signifie qu'elles étaient capables de se souvenir d'un passé encore proche, celui de la veille, de le distinguer du présent et de se projeter dans l'avenir. Ce qui signifie aussi le besoin, parfois trop peu remarqué, qu'elles avaient de communiquer entre elles. En vérité, elles attendaient une occasion de sortir d'elles-mêmes, du sommeil causé par l'ennui de ne rien pouvoir faire toute la journée, lorsqu'il n'y a pas d'activités organisées pour elles. Il fallait aussi, et cette soirée leur en avait donné l'occasion, qu'elles surmontent la crainte intérieure qu'elles avaient de parler, parce qu'elles vivaient, jour après jour, de très pénibles échecs dans l'utilisation des mots et du langage.

En outre, il était clair que ces dames, dont la plupart avaient été des mères de familles et des enseignantes, s'étaient réjouies de voir des visages d'enfants: toutes les ont reconnus pour tels sans se tromper, comme elles avaient reconnu sans se tromper les chansons qu'elles avaient apprises autrefois et qu'elles étaient heureuses de pouvoir chanter à nouveau.

Ces diverses tranches de vie que je viens de retracer et dont j'ai esquissé l'analyse confirment, à mes yeux, ce que j'avais avancé, à savoir que si les Alzheimers sont affligés par la maladie de graves et très pénibles détériorations mentales et motrices, ils n'en gardent pas moins presque jusqu'au bout une véritable conscience humaine. Cela provient certainement de ce que, en eux, comme en tout être humain, la conscience est quelque chose de plus fondamental que ses fonctions particulières. Sans doute des fonctions comme l'imagination spatiale et temporelle, la mémoire immédiate et lointaine, le raisonnement discursif sont absolument nécessaires à la vie normale de l'être humain. Lorsque ces fonctions sont altérées, la conscience se trouve elle-même gravement atrophiée et handicapée, mais elle demeure vivante à travers l'affaiblissement de sa réceptivité et de son activité.

C'est à cette conscience que se trouve liée, à mon avis, la préservation chez les personnes Alzheimer d'une personnalité singulière, de leurs sentiments, de leurs affections et même de ce que j'ai appelé une «intelligence du cœur», qui survit à l'atrophie de leur raison.

La présence mystérieuse, mais manifeste, d'une telle conscience chez les malades, préserve, bien longtemps, leur sentiment de soi et les pousse sans cesse de l'intérieur à communiquer avec les gens qui les entourent. C'est elle aussi qui leur permet de percevoir si on leur porte vraiment attention et si on leur veut du bien, ce dont ils sont reconnaissants, ou ce dont ils souffrent, dans le cas contraire. Ceci fait d'eux des partenaires éthiques à part entière pour nous, et non des choses qu'on pourrait traiter comme si elles étaient tout à fait inconscientes de ce qu'on pense d'elles et de ce qu'on leur fait.

Cette conscience est-elle la dimension essentielle et le signe de l'âme humaine qui est la leur et qui, comme pour les bienportants, les rattache à Dieu? C'est, en tout cas, ce que je n'ai cessé de lire dans ce regard attentif et confiant que les Alzheimers portent, jour après jour, sur ceux qui font attention à eux et s'en occupent. De ce point de vue, on pourrait dire que, dans leur simplicité, ils nous instruisent, et donc, paradoxalement, nous assistent!

Références

[1] Ma pauvre mère a été longtemps dans cet état semi-comateux et pourtant elle donnait des signes avec ses doigts, sa tête, ses yeux, comme si elle s'apercevait de notre présence autour d'elle lorsque nous l'approchions. D'autres personnes ont fait des observations semblables.

[2] Ainsi, M montre 40 photos des disparus de sa famille en disant qui ils sont et en ajoutant: «Est-ce que je vous dérange?» Si on lui répond: «Non», elle continue à nous intéresser aux siens en soupirant: «Ils sont tous partis.»

[3] Les malades préfèrent être douchés par des infirmiers ou des infirmières selon leur sexe. Ils se sentent plus à l'aise ainsi.

[4] Par contre, nombre de dames vivant à cet étage n'auraient pas accepté de jouer le rôle de la dulcinée et auraient repoussé les avances de cet homme.

[5] Cette dame m'invitait aussi à me joindre à elles, car elle avait remarqué que j'étais la sœur de son amie. Elle voulait me traiter de manière identique.

[6] A est à table, il boit, mais seulement en apparence, car il n'a plus rien dans son verre. Personne ne s'en est rendu compte. C'est une dame, elle-même malade, qui nous signale le fait.

[7] Notons à ce sujet que les Alzheimers sont encore très humains en ceci qu'ils tiennent à avoir raison de leurs contradicteurs.

Illustration, par description de cas, d'une persistance de la conscience, en particulier affective

Cas

1. A aime parler avec moi. Elle demeure consciente de l'environnement, mais elle ne peut plus s'exprimer de façon claire, elle tient un langage particulier auquel il faut tendre une oreille attentive. Dans cet amas de phrases, en grande partie incompréhensible, passent des mots intelligibles. Si on les capte, son visage s'épanouit. A devient tout heureuse d'avoir été comprise. Elle reconnaît son nom, quand on le lui dit, quand elle le voit écrit sur son menu aux repas. Chaque fois que j'arrive, elle s'en aperçoit, m'approche ou m'envoie la main et si, par hasard, je n'ai pu encore la saluer, elle me rappelle à son attention.

2. B m'approche régulièrement pour savoir si son fils viendra lui rendre visite dans la soirée ou pour que je lui indique où se trouve sa chambre. Elle s'inquiète de savoir comment son fils la retrouvera: prendra-t-il l'ascenseur? Saura-t-il à quel étage elle loge? B se demande encore à quelle heure son fils viendra la chercher pour qu'elle passe le week-end avec lui. Surtout éviter de lui dire qu'on est jeudi, car elle veut faire tout de suite sa valise. Elle retrouve le nom de son fils dans le bottin et elle peut composer son numéro de téléphone. Elle sait quelles études universitaires il a faites et quelle profession il exerce actuellement.

3. C aime les revues, les journaux et les livres. Elle passe des heures à les parcourir. Elle se rappelle sa vie d'autrefois avec ses parents et sa vie d'enseignante. Elle veut sortir pour le week-end, elle prend le téléphone à la réception et elle fait une longue conversation avec son père (mort depuis longtemps). Elle lui demande de venir la chercher en auto, car elle a travaillé fort toute la semaine à l'école. C aime regarder dans les tiroirs des commodes pour y examiner les vêtements. Le soir, lorsqu'une nurse la déshabille pour lui enfiler sa robe de nuit, elle proteste qu'on s'introduit dans son «intimité».

4. D aime les belles choses: elle ne comprend pas qu'aux repas il n'y ait pas de nappe sur la table. Elle appelle sa fille: «Lucienne, apporte un gâteau comme dessert.» D se plaît à regarder la télé, surtout quand il y a des concerts, elle applaudit aux émissions de son goût. Un soir, elle semble endormie sur son banc. Comme je me lève et constate que les genoux de ma pauvre sœur sont glacés, D me fait une remontrance: «Que faites-vous là?» Je lui explique que ma sœur a les genoux gelés et que je vais lui chercher une couverture pour les réchauffer. Elle dit: «Alors, c'est ça.»

5. E regarde le mur en face de lui. On l'entend s'exclamer: «un point, deux points». Il applaudit, il est heureux! Tous les jours, il joue en imagination son match de foot. On le croit absent, mais il repère le numéro des étages inscrit au haut de l'ascenseur et il ne se trompe pas. Les aides-soignantes qui l'entendent se fient à lui pour estimer le temps qu'il leur reste pour prendre l'ascenseur. Il reconnaît son fils qui l'assiste pour manger.

6. F ne peut marcher et peut à peine parler. Elle mange dans le couloir. Cependant, elle reçoit celles et ceux qui passent dans le coin près d'elle et elle tend la main pour qu'on lui dise un mot.

7. G, handicapé, reste en chaise roulante toute la journée, mais elle veut parler avec les gens. Malgré son mal aux jambes, elle conserve une admirable patience. Elle «s'excuse» de perdre la mémoire.

8. H est dans un fauteuil roulant et semble somnoler, mais dès qu'on s'adresse à elle, ses yeux s'ouvrent tout grands. On lui apporte des toutous, un nounou ou son lapin: la voilà occupée de longues heures. Elle répond à nos propos. Un infirmier lui fait réciter une charade avec laquelle elle compte des nombres. Lorsqu'on la fait manger, elle répond: «Good morning to you!» et elle nous remercie de lui donner son lapin: «Thank you for the bunny and your visit.»

9. I a 91 ans. Ses filles s'en occupent bien, mais à leur départ, I tombe dans une immense tristesse: elle veut repartir à son domicile. Elle reconnaît sa famille sur les photos collées au mur de sa chambre. Elle m'attrape par le tablier et me demande si j'ai «un char» pour «aller à Cornwall». Elle a sur son lit un petit chat gris en peluche et elle me raconte à son sujet: «Il est bien sage, il ne salit pas le lit ni la chambre.»

10. J est un ancien coiffeur, il connaît son nom, se rappelle son village natal. Il reconnaît la voix d'un ancien client dans la personne de mon beau-frère. Un infirmier lui parle de la pêche et l'interroge sur ce qu'il attrapait comme poissons. J répond «oui» ou «non» aux noms des poissons qu'énumère l'infirmier.

11. K a un faible pour dormir, le jour, dans le lit des femmes parfumées. Lorsque les chambres sont libres, il y entre pour s'allonger sur un des lits. Il s'y repose comme un bienheureux. Si on ne veut pas le voir s'y installer, il faut l'en dissuader. Il sent, il sait qu'on a deviné son petit projet, il nous regarde d'un air rieur et moqueur et il nous guette du coin de l'œil pour voir si on le laissera faire ou non.

    K aime siffler des airs, il le fait d'une manière tout à fait admirable, car il ne fait pas de fausse note. Il préfère siffler plutôt que manger à table. Il lève son verre à la santé de ceux qui l'accompagnent. Il faut le supplier de manger en cherchant toutes sortes de trucs: ainsi on lui met trois verres pour lui montrer qu'on lui porte une attention particulière. Il sourit d'approbation. Il préfère encore que ce soit son épouse qui le fasse manger et il l'écoute à merveille. En octobre, il s'assoit à mes côtés en m'implorant de le faire sortir à l'extérieur. Je lui explique que je n'en ai pas la permission et que les autres personnes qui l'entourent ont besoin de moi aussi. Il approuve.

12. L est douce comme un petit agneau. Elle n'a pas d'appétit, mais lorsque ses filles l'accompagnent aux repas et fredonnent des «Nursery Rhymes», L commence à manger. Sa petite-fille de 5 ans l'aide au dessert et elle la remercie par un grand sourire.

13. M est l'une des centenaires sur son étage. Elle converse en russe, en allemand, en espagnol, en français. Elle aime rire et chanter. Un bénévole russe lui rend visite.

14. N est dans une phase moins avancée de la maladie. Cependant, elle en souffre beaucoup. Elle a été sage de laisser sa maison et, ne se sentant plus en mesure de rester seule, de choisir Villa Marguerite. Elle parle avec les gens, aide les uns et les autres pour «se rendre utile», dit-elle. Elle sort avec une amie. Toutes les deux conversent en français et en anglais. Elles regardent les journaux et la télé. Elles apprécient les diverses activités à la Salle Chez-Nous. Elles chantent encore beaucoup de chansons. N se remémore les mots des chansons de l'Abbé Gadbois et nous, les bien-

portants, nous les avons oubliés! N a une voix exceptionnelle, on devrait l'enregistrer!

15. O m'accompagne pour rendre service, soit en plaçant des serviettes aux tables, soit en accompagnant une religieuse bénévole qui range les vêtements des malades dans leur chambre. Son amie N ayant été déplacée au 5ᵉ, elle veut lui rendre visite. Un soir, ne sachant que faire, elle erre partout. Je lui suggère de rendre visite à N et elle dit «oui» aussitôt. N nous montre sa nouvelle chambre, on jase, puis on remonte, O et moi, au 6ᵉ. O est tout heureuse de constater qu'elle n'a pas perdu cette bonne amie.

16. P a la visite régulière de ses filles et celle d'une petite-fille de 8 ans. Si P ne les voit pas arriver à peu près à l'heure habituelle, l'angoisse la gagne progressivement: «Will they come today?» On tente de la rassurer.

17. Un petit groupe de dames sont contentes d'entendre des chansons et des histoires drôles. Elles aiment aller assister, à la Salle Chez-Nous, aux divers concerts organisés par les bénévoles.

18. Q est âgée de 92 ans, elle passe sa journée dans un fauteuil roulant. Elle répond correctement à nos interrogations. Sa fille s'occupe régulièrement d'elle. Un infirmier lui fait dire son nom et la fait compter.

19. R cherche quelqu'un pour l'accompagner dans le couloir. Elle nous prend par le bras et nous voilà au pas. Si elle ne parle pas beaucoup, elle répond par un beau sourire.

20. Un groupe de dames font de l'exercice physique sous la direction d'une religieuse bénévole. Elles s'amusent à prendre un ballon qu'on leur envoie. La bénévole (âgée de 76 ans) raconte qu'elle doit se démener plus qu'elles à courir après le ballon. Elle en rit de bon cœur.

21. S est âgée de 100 ans, elle comprend les conversations et elle chante des chansons. Elle regarde par la fenêtre les voitures entrer au parking.

22. T, après ses deux mois de congé, m'a aperçue dans le couloir et s'est empressée de venir m'embrasser.

23. U est âgé de 93 ans et il a résidé à la campagne. Il raconte ses souvenirs d'une fête à Villa Marguerite organisée par ses 13 enfants. Il me prend par la main pour que je voie les cartes d'anniver-

saire et les décorations qui sont au mur de sa chambre. Il aime encore jouer aux cartes et boire «un p'tit coup» à la Salle Chez-Nous.

24. V est âgé de 78 ans. Il se tient droit et il a une démarche assez sûre. Il se demande quand sa fille viendra le voir. Il raconte qu'il restait près de la rue Bruyère, qu'il était électricien et qu'il a fait vivre une famille de huit enfants. Au «Happy Hour», il aime boire un peu de bière. Lorsqu'il s'installe à l'heure du dîner, il entonne l'air «Prends un verre de bière mon minou» et il termine sa chanson par «Napoléon». Il me dit: «Napoléon était un grand homme, c'est ce qu'on nous a appris chez les Frères des Écoles Chrétiennes. Vous êtes trop jeune pour savoir cela, vous.»

25. W est assez jeune et il reconnaît son épouse. Il se promène dans un fauteuil roulant. Il répond à nos propos avec un sourire. Après une absence prolongée, il m'a reconnue: il a pris mon bras et il l'a porté à sa joue.

26. X est une «newcomer». Elle semble remplie de mélancolie, du moins ses plaintes ont un ton bien mélancolique. Ses soupirs sont traversés de petites phrases qui expriment son désarroi: «I want to go home.» Elle raconte avoir vécu à Halifax. Elle éprouve des difficultés à manger. Les infirmières font tout pour l'aider. Les progrès sont lents à venir. Pourquoi? On s'interroge. Je constate qu'elle grimace lorsqu'elle avale du liquide froid et qu'elle dit: «Oh!» Peinant à mastiquer sa nourriture, elle répète: «Oh!» Je pense à ses dents et j'avertis les infirmières que l'état de ses dents est peut-être la cause de son manque d'appétit. Les infirmières l'examinent et prennent un rendez-vous chez le dentiste. Une fois la dent réparée, elle mange un tout petit peu mieux. On s'inquiète et elle demande si elle peut manger à mes côtés. Ce qui la préoccupe, c'est de savoir si nous sommes toutes «ses amies». Tout le monde la rassure à ce sujet. Voilà qu'elle mange un peu plus!

27. Y entend la sonnette d'alarme dans une chambre. Elle demande s'il y a un feu. On lui explique que c'est une sonnette placée dans chacune des chambres pour que les personnes qui ont besoin d'aide puissent appeler quelqu'un. Y veut qu'on lui indique comment s'en servir dans sa propre chambre.

28. Z a eu une attaque cérébrale. Il est bien faible. À l'heure du souper, il se penche vers moi pour lire mon nom sur la carte d'identité

que porte tout bénévole, il lit et me renvoie un sourire des plus charmeurs. Il demeure très patient. Quelques semaines plus tard, après une deuxième attaque, il ne peut plus parler. Toutefois, il continue à répondre à son nom avec son beau sourire.

29. A discute dans un français impeccable. Elle aime causer de la carrière diplomatique, de son mari et des voyages qu'elle a faits en sa compagnie. Elle attend la visite de sa sœur. On lui tend le téléphone et elle répond aux questions de sa sœur. Sa sœur, bien sûr, ne lui parle pas, mais A le croit. Elle lui répond: «Oh, tu sais, j'ai mal aux jambes, c'est le rhumatisme qui me gagne.»

30. B a eu une attaque cérébrale, mais il est encore capable de parler avec des personnes. Ainsi, il raconte qu'il était fonctionnaire et qu'il a connu l'ancien Premier Ministre Lester B. Pearson. Il se souvient également de l'église protestante où il assistait aux offices, près de la maison du Gouverneur Général du Canada.

31. C et D ont une prise de bec. C'est à propos d'un chat qui loge au 6e étage. Ce chat est couché au pied du lit de C et il lave son poil. D s'aperçoit de sa présence sur le lit de sa voisine et elle lui fait remarquer: «Vous n'avez pas honte de laisser ce chat sur votre lit, vous allez devenir malade, il est rempli de microbes.» Voilà le sujet de la dispute et chacune me donne sa version des faits pour me convaincre de me ranger de son côté. Je parviens, non sans mal, à les apaiser!

32. E sait où dort le chat au 6e étage pendant le jour. Il a son coussin et sa nourriture. Ce chat divertit les malades. Un jour, on le cherche partout. Dans la soirée, E me fait rentrer dans sa chambre, elle ferme la porte et me montre son tiroir de commode. Elle l'ouvre et voilà que le chat sort! Elle l'avait gardé pour la nuit avec elle. Elle me montre son assiette et les croquettes qui restent au fond du tiroir.

33. F a une conversation distinguée: elle a été l'épouse d'un médecin et elle a fait une carrière dans la musique. Elle se sent diminuée par sa maladie: «Regardez ce que je deviens!» Après deux mois, elle me reconnaît toujours et elle me raconte ses préoccupations du passé, comme si elle les vivait à l'instant.

34. Il arrive que des infirmières viennent au 6e étage avec leurs nouveau-nés. C'est une récréation pour les malades âgés, elles parlent aux petits et veulent les prendre dans leurs bras. Si d'autres

infirmières leurs prêtent des photos de leurs petits-enfants, elles réagissent positivement.

35. G me dit: «Je prie le Bon Dieu pour qu'il vienne me chercher.» — «Voyons, pourquoi dites-vous cela?» — «Parce que je dérange!» — «Vous ne dérangez pas.» — «Je perds la tête. Ce n'est pas drôle d'être de même.» — «Non. On vous aime bien, Madame.» — «Merci, cela fait du bien d'entendre cela.»

36. H joue de l'harmonica dans sa chambre. J'entre et je lui demande de me jouer un morceau. Il le fait, tout heureux. Je le félicite et le remercie. Il me répond: «Moi, ce n'est rien, M. B, qui reste au 2ᵉ étage, est un as!»

37. I s'offre pour réparer ma monture de lunettes qui vient de se briser en tombant par terre. Je n'ose pas refuser ses services. Il tente de replacer le verre dans la monture mais sans succès. Il me regarde attristé: «C'est dommage, je n'y arrive pas, je voulais vous aider.» Je le remercie beaucoup de sa gentillesse en lui signifiant que sa bonne intention demeure. Il sourit, content d'entendre cela.

38. J n'arrive pas à saisir pourquoi elle n'habite plus à son domicile d'autrefois; Villa Marguerite ne fournit à ses yeux aucun repère. Elle demande d'aller à sa chambre, mais en y rentrant elle s'aperçoit que ce n'est pas la chambre de son appartement. Je lui explique que c'est sa nouvelle demeure et qu'elle y est plus en sécurité. «Cela n'a pas de sens, répond-elle, on ne m'a pas avertie.» Heureusement, sa sœur qui vient lui rendre visite régulièrement lui rappelle qu'elle avait accepté de déménager ici, dans ce petit appartement qui est maintenant le sien.

39. K s'exclame après le souper en s'appuyant sur sa marchette: «Quelle misère!» Je lui demande pourquoi. Elle réplique: «On est tout mélangé ici, tout le monde est mélangé ici» (c'est-à-dire confus).

40. L tombe gravement malade. Elle est très bien soignée par une infirmière courant à son chevet. Après l'avoir examinée, celle-ci appelle le médecin. Il doit venir, mais en attendant, l'infirmière doit lui donner d'urgence deux cachets pour prévenir l'angine. L refuse de les prendre. L'infirmière téléphone à sa sœur qui arrive en vitesse, mais celle-ci n'a pas plus de succès à lui faire absorber les remèdes. Enfin, l'infirmière a la brillante idée d'appeler l'aumônier pour lui venir en aide et il réussit enfin à lui faire avaler les

pilules! L voulait absolument que ce soit un homme qui les lui donne et non une femme qui, à ses yeux, ne pouvait pas être un vrai médecin.

41. Un soir, lors d'une animation pour les personnes âgées au 6ᵉ étage où l'on chante ensemble et où l'ambiance est à son meilleur, M croit que nous fêtons dans son appartement. Elle prend le téléphone de la réception croyant parler à la police municipale: «Au secours, Monsieur, il y a des gens qui m'empêchent de dormir à mon domicile, ils chantent en chœur. Venez leur dire de repartir chez eux.» Me voyant incapable de résoudre le problème, une nurse plus habile que moi s'adresse à M dans ces mots: «Venez ici, j'ai quelque chose à vous montrer et j'ai un secret à vous dire.» Voilà aussitôt M qui se lève et la suit docilement.

42. O me reconnaît, elle a pris ma main. Je l'ai calmée, car elle criait très fort. Je lui ai dit que j'étais heureuse de la revoir et j'ai conservé sa main dans la mienne, tout en continuant à lui parler: ses cris ont diminué progressivement pour être remplacés par une expression de contentement.

43. P ne parle pas. Cependant, elle regarde l'entourage et étend ses bras pour nous retenir quelques minutes. Elle nous remercie d'un large sourire.

44. Deux dames parlent ensemble sur des sujets totalement différents, quoique dans la même langue. Elles s'entendent bien. Une troisième se joint à elles. Une atmosphère de joie se répand entre elles. Elles s'amusent et elles ont à présent trois sujets de conversation. La bonne entente règne.

45. Q est assise priant à la chapelle. En sortant, elle dit: «Cela me fait du bien de prier. Je prie pour ma famille, pour moi et pour tout le monde ici.»

46. R longe le couloir. Elle me regarde attentivement, sourit et me tend la main. Je lui parle et lui demande si elle veut un petit bonhomme en laine verte avec une chemise rose cerise. «Oui», réplique-t-elle. Je le lui apporte et elle le prend pour passer une partie de la soirée.

47. S a des difficultés quasi insurmontables à avaler et à manger. Parce qu'on l'encourage et qu'elle respecte son propre rythme, elle progresse et semble surmonter un peu mieux ses difficultés. Elle dis-

tingue bien les infirmières qui s'occupent d'elle et porte son regard sur elles. Elle dit «bonjour» et «merci».

48. T aime que j'aille lui parler au fond de la salle à manger ou à l'aile nord. Elle raconte au présent des histoires passées et s'aperçoit soudainement qu'elle n'a pas son soulier au pied ou son châle sur les épaules. «Coud you fetch my shoe (ou «bring my cardigan»), please?»

49. U mange à mes côtés. Elle me raconte: «J'ai été chez la coiffeuse, je m'appelle Stella.»

50. V comprend encore beaucoup de paroles que nous lui adressons. Elle a bien ri lorsqu'un soir j'ai relevé mon pantalon. Elle m'a dit: «Ton pantalon glissait.» Elle est en mesure de parcourir un magazine aux images colorées.

51. W vivait avec ma sœur dans une chambre double. En septembre dernier, six mois après le décès de celle-ci, W s'est souvenue d'elle et m'a dit: «J'aimais votre sœur, on s'entendait bien toutes les deux.» Elle a su faire le lien entre elle et moi. W a ajouté: «Cela me fait de la peine qu'elle soit partie.»

52. X me montre sa robe fleurie et essaie de m'en parler. «Elle est jolie», lui dis-je. X éclate de joie.

53. Y m'appelle pour dire: «Je t'ai attendue à midi. Tu n'es pas venue.» «Non Y, je ne viens que le soir.» «Pourquoi?», dit-elle.

54. «Son père» n'a plus d'appétit, tandis qu'auparavant il mangeait davantage. Il regarde les jus de fruits, le lait, la crème glacée. Rien ne le tente. L'approchant, je lui parle un peu: «Vous n'avez pas faim?» «Pas trop», répond-il. «Essayez de boire ou de manger quelque chose, juste une fois pour moi.» Il sourit, hoche affirmativement la tête et commence à prendre le jus, puis la crème glacée.

55. Z m'appelle dans le couloir, elle veut aller à la salle à manger. Comme je l'aide à se placer à table, elle m'interroge: «Où vais-je m'asseoir? Vas-tu manger avec moi?» «Malheureusement je ne peux pas, il faut que je m'occupe aussi des autres malades», lui dis-je. Elle répond: «Avoir su cela, je ne serais pas venue manger.» Alors, je lui montre l'infirmière qui vient: «Elle veut t'aider, comme moi, Z.» Elle réplique: «C'est vrai.»

56. A parle avec B. Elles s'entendent fort bien toutes les deux. Elles rient ensemble. A a toujours une attitude positive et un sourire expansif. Elle s'exprime aussi bien en français qu'en anglais.

57. B m'appelle dans la salle à manger. «Viens ici, j'ai quelque chose à te dire. J'ai vu quelqu'un me prendre mon "lipstick". J'ai vu aussi quelqu'un me prendre ma grappe de raisin. Je sais qui c'est.» Je lui réponds qu'il y a eu erreur quelque part et qu'elle retrouvera le tout. Après le dîner, B revient me chercher et veut que j'aille à sa chambre. Donc, elle n'a pas oublié l'incident! Dans la soirée, on a retrouvé son «lipstick»; quant au raisin, un infirmier l'avait ramassé, croyant qu'elle n'en voulait plus.

58. C m'approche et dit: «Regarde là-bas cette grosse infirmière, elle me fait peur.» Je lui réponds que je n'en vois pas. Elle prend ma main et me dirige vers l'entrée: «See this big and tall nurse. I'm scared! See how tall she is.» Évidemment, c'est vrai que la personne est d'une taille impressionnante, mais c'est un infirmier. Je vante ses capacités en matière de soins et il sourit. C, m'écoutant, se trouve rassurée et réajuste sa perception. «We need strong nurses here», lui dis-je. Elle réplique: «Now I see, he is here to help us.»

59. D me demande si j'ai vu sa sœur et si celle-ci viendra la voir. «Il faut lui téléphoner», me dit-elle. «As-tu dix cents pour payer l'appel?» Je réponds: «C'est gratuit.» «Ah! Vraiment? Comment se fait-il?» «C'est le téléphone de la maison de retraite.» D réplique: «C'est nouveau, cela.»

60. E, invitée à participer au Lawrence Welk Show à 7 heures, s'y refuse. «Excusez-moi, dites-leur que je suis malade. J'ai de la misère à digérer mon souper et j'ai des renvois. Je ne peux pas y assister et avoir des renvois devant le public. Ce n'est pas poli et je serais gênée.»

61. F et G parlent ensemble. L'une explique à l'autre le travail qui était le sien autrefois, tandis que l'autre ajoute ses commentaires. F parle avec clarté et sans faute et elle lit nos noms sur nos cartes d'identité. G est heureuse d'être en la compagnie de F.

62. H se plaint à propos de l'heure des repas. «On me donne le plateau en dernier et on me le prend en premier. Je n'ai pas le temps de manger.» Après vérification, cet état de choses a été vite corrigé.

63. I s'imagine que je suis sa voisine qui a des garçons et elle me demande de leurs nouvelles: «I liked these two boys, they were so sweet. Tell them I remember them. Do they remember me also?»

64. J me raconte qu'elle perd la mémoire: «Ce n'est pas comme avant, je suis dans la lune.» Elle veut que je la reconduise à son appartement, pas à sa chambre que je lui indique comme étant son «nouveau petit appartement». «Est-ce que je vais coucher ici ce soir?» dit-elle. «Ce n'est pas possible. Mon appartement est chez M. X. Où est ma sacoche? Il faut payer le taxi et tu vas m'accompagner.» Je lui conseille d'attendre sa sœur avant de partir, car «elle s'inquiètera de votre absence si vous partez sans le lui dire». Fort heureusement, sur ces entrefaites, sa sœur lui rend visite. Mais tout à coup le sujet de conversation a changé. Elle dit à sa sœur: «Je dois partir à Alexandria pour y travailler de bonne heure demain matin.» Sa sœur lui répond: «Tu es à la retraite à présent.» J s'étonne: «Ah oui? Depuis quand?» Sa sœur rétorque: «Bien, comme tout le monde, à 65 ans.» Alors J de dire: «Cela veut dire que j'ai 65 ans révolus et que je suis retraitée ici?» Sa sœur réplique: «Tu es à Villa Marguerite depuis quelque temps et je suis tout près de toi.»

65. K a 100 ans. Elle chante des chansons pour se distraire. Elle mange avec plaisir et demande toujours qu'on l'accompagne à sa chambre. Elle se plaît à regarder les gens par la fenêtre. Un soir elle m'attrape pour m'interroger: «Les hommes sont-ils arrivés? Marie-Claire leur a-t-elle dit où je suis? Est-ce qu'ils vont me prendre demain matin? Dites-moi ce que je dois faire.»

66. L tient son ourson blanc aux oreilles rouges dans ses bras et, en privé, lui parle. Devant nous, elle arrête de lui parler. J'appelle la garde pour qu'on la voie. Elle vient, se cache le long du mur comme moi et constate que L peut parler sans problème devant son ourson. La garde me dit: «C'est étonnant de l'entendre parler!» L continue sa conversation. En allant à l'aile sud, je l'ai regardée et, sentant ma présence même furtive, son regard m'a repérée: elle s'est tue.

67. M m'appelle Gertrude. Elle croit que je suis une voisine d'autrefois qui vivait près de son domicile à Cornwall. «Tu viens me voir. C'est bien fin. As-tu toujours ton char?» «Non, je n'ai pas de voiture.» Elle continue: «Je trouve que tu as un peu changé. Tu as pris

du poids. Aimes-tu toujours autant manger du sucre, du chocolat, par rapport que ça fait engraisser?»

68. O qui met une serviette sous son nez est interrogé par une infirmière: «Pourquoi mets-tu cette serviette sous ton nez? Es-tu malade?» Il réplique: «Je ne sais pas.» L'infirmière poursuit: «Fais-tu des allergies?» Il répond: «Il faudrait le demander à un docteur, je suis pas spécialiste.»

69. P m'attrape dans le couloir. Je lui demande si elle est sortie dans la journée. «Oui, dit-elle, regarde ma bouche.» Je regarde, mais je ne vois rien. Elle continue à m'expliquer: «Regarde mes dents si elles sont blanches, j'ai été chez le dentiste aujourd'hui.» C'était vrai.

70. R est un «moulin à paroles». Elle se souvient des enfants à qui elle enseignait à l'école et elle passe en revue les émotions qu'elle avait, craignant qu'ils se fassent mal, qu'ils se blessent. «Hey, boys, be careful, don't hurt yourselves.»

71. S me reconnaît et dit à T: «Regarde la dame, elle ressemble à un petit gars avec ses cheveux courts.» T rit et se cache la tête sous son bras, embarrassée. Je reste muette. T réplique à S: «Ce n'est pas un petit gars, qu'est-ce qu'elle va dire?»

72. Tous les soirs, U attend une visite. La porte de l'ascenseur s'ouvre et un jeune gardien, qui fait sa ronde dans tout l'édifice, s'achemine vers U qui a de la difficulté à s'exprimer. Elle lui sourit et il lui donne deux becs sur chaque joue. Elle rit en le regardant très attentivement.

73. U veut à tout prix visiter une tante qu'elle aime beaucoup. Un membre de la famille l'y conduit en faisant une marche. En chemin, elle croit reconnaître son domicile, elle insiste pour y rentrer. Elle reste convaincue que c'est l'endroit, bien que ce soit faux. Après plusieurs explications, U doit écouter V et la marche continue. Enfin on voit la tante jardinant et plantant des fleurs autour de la maison. Après deux heures de causerie avec la tante, U et V reviennent à domicile. Mais dix minutes après leur retour, U demande à V de l'amener visiter la tante qu'elles viennent de quitter. Il faudra à V beaucoup d'explications et de preuves pour convaincre U qu'elle vient de visiter cette tante!

74. W va à la «garde de jour». Partant le matin à huit heures trente par autobus, transport organisé par Villa Marguerite, elle passe la jour-

née à E.B. Toutes sortes d'activités sont proposées durant ces heures. Il y a aussi d'agréables sorties. Au retour de W à domicile, elle raconte à Z qu'elle revient de «l'école».

75. A a visité B pendant l'été, pour six semaines. Au départ de A, B déclare soudainement: «Reviendras-tu voir la vieille?»

76. B va au Centre E.B. pour un traitement de physiothérapie. Elle regarde l'entrée et reconnaît l'édifice. Elle raconte combien de fois elle est venue visiter une amie à Villa Marguerite. Puis, elle veut s'assurer que le jardin est toujours là. C l'y conduit. «Oui, c'est cela», dit-elle et elle regarde C droit dans les yeux: «Pourras-tu m'amener ici, quand je serai malade?» C promet qu'elle fera son possible pour réaliser son souhait.

77. C était membre de l'Association des Aînés Franco-Ontariens et elle appréciait les personnes rencontrées et les activités. Malgré la maladie qui progresse, C demande à D de renouveler sa carte de membre. D le fait et lui montre au retour sa carte d'adhésion. C lit son nom et se réjouit de faire encore partie du groupe! Et elle déclare: «Il faut s'entraider!»

78. D marche avec E dans un parc et D distingue les canards, les cygnes dans l'eau de la rivière qui longe le parc. Puis, elle aperçoit les enfants avec les mamans. Elle est heureuse d'échapper aux murs de la maison. F, ancien étudiant, reconnaît D, il lui parle. Elle le nomme et lui demande de ses nouvelles, et de celles de son frère. F finit par remarquer le changement chez D et il reste étonné. D lui dit qu'elle n'a oublié ni l'école où elle lui enseignait, ni lui, ni son frère. Mais elle ne peut plus prolonger la conversation. Soudain, elle se demande si E qui l'accompagne connaît la route pour revenir au domicile, elle s'inquiète, car elle ne saurait la retrouver.

79. E m'appelle: «Do you have one minute? Look at my underwear, it needs to be mended. There is a section here which needs to be sewed. Do you have a needle and thread? I would like you to fix this.» — «I'm sorry, for the moment I do not have at hand a needle or a thread.» — «Don't you have a sewing machine on the floor here?» — «Unfortunately not, but we can send your underwear along with a memo asking it to be fixed to the washing room downstairs.» — «What a pity there is no sewing machine, nor a needle with a bit of thread, I would fix it myself if I had them at hand.»

80. F, qui était chirurgien, me rappelle ce qu'il disait à son équipe: «Don't ever kill people, this is bad for them and it is bad for you. Be always kind to everybody, loving your neighbour is what is most important in the world and in your life. You see, if you smile, pay attention to the needs of people, they will be happy and you too. Not only will you be happy yourselves, but you will be in good health too!» Un autre jour, le même répond à une voisine qui se plaignait de maux d'estomac: «Buvez de l'eau pour digérer et évitez de prendre trop de pilules.»

Chapitre 4

ÉTHIQUE DES COMPORTEMENTS

*Si Dieu est le seul à ne jamais vieillir, la grâce
et la force de son Esprit savent soutenir et maintenir
la jeunesse sans déclin qui habite les cœurs.*

Jean Paul II

Redonner une dignité à ceux qui ont sombré.

Mère Teresa

Après avoir considéré les malades de l'Alzheimer pour eux-mêmes, je vais désormais parler des personnes qui les entourent, comme leurs parents ou leurs amis, et de celles qui les soignent, comme les infirmières et infirmiers, les aides-soignantes et aides-soignants, les bénévoles.

Si, comme je l'ai montré et comme je le pense, la conscience survit chez les Alzheimers, malgré tous les handicaps dont ils sont les innocentes victimes, il semble logique que je tente de proposer une éthique des comportements à leur égard, fondée sur des principes majeurs.

Le premier de ces principes concerne chaque être humain. Tout être humain a le droit d'être traité avec respect et dignité: par conséquent, tout être humain a le devoir de respecter et de traiter autrui avec dignité.

Toutefois, si ce principe de droit qui appelle à un devoir est assez aisément reconnu par tous, il n'en reste pas moins difficile à appliquer dans la pratique quotidienne, parce que les gens se heurtent à leur égoïsme, à leurs passions. Entre l'idéal qu'ils se sont donné et la pratique de celui-ci, il y a une distance à franchir, la réalité, qui est souvent moins belle et rose que l'idéal ne le fait imaginer, se trouvant en effet cousue d'obstacles à surmonter.

On peut rappeler ici brièvement le principe fondamental que le grand philosophe Kant, à la fin du XVIIIᵉ siècle, plaçait au cœur de la morale: «Traite toujours la personne humaine, en toi-même et en autrui, comme une fin et jamais comme un simple moyen.» Ce principe, au fond, se rattache au commandement évangélique bien connu: «Tu aimeras ton prochain comme toi-même», qu'on peut commenter ainsi: «Ne fais pas aux autres ce que tu ne voudrais pas qu'on te fasse», ce qui implique, par renversement: «Fais pour eux ce que tu attends d'eux.» Rappelons encore ce que le même Kant recommandait quand il s'agissait de prendre une décision concernant autrui: demeurer vigilant vis-à-vis de ses propres intentions et de ses motivations de sorte que, même lorsqu'on prétend agir pour le bien d'autrui, on ne soit pas en train de l'utiliser pour son propre intérêt.

Or, ce principe universel de respect de la personne humaine ne s'applique pas seulement aux êtres humains en bonne santé, mais aussi, sinon davantage parce qu'ils sont plus faibles, à ceux qui sont blessés ou handicapés par la maladie. Par conséquent, dans la perspective qui est la mienne ici, il doit s'appliquer aux malades de l'Alzheimer, en qui j'ai montré qu'il fallait reconnaître une personne humaine entière, quoique souffrante et lourdement handicapée. En un sens même, ces derniers devraient être l'objet de plus de respect et d'attention que les autres, puisqu'ils font partie de cette humanité souffrante et dépendante qui appelle au secours.

Toutefois, il faut se dire également que si, comme je l'ai rappelé à la suite de Kant, la pratique du devoir de respect n'est pas toujours chose aisée lorsqu'on a affaire à des bien-portants, elle peut devenir plus difficile encore lorsqu'on a affaire à des malades, et en particulier à des Alzheimers, avec qui on ne peut plus guère communiquer et qui, de bien des manières, sont pesants à eux-mêmes et alourdis par toutes sortes de handicaps. Il faudra donc redoubler de vigilance envers soi-même pour leur offrir le respect auquel ils ont droit et l'attention qu'ils demandent. C'est l'état, les besoins, bref la réalité des malades qui dicte nos devoirs envers eux, qui doit inspirer nos façons d'agir à leur endroit. Ceci vaut pour tous ceux qui ont affaire à eux et qui ont une responsabilité envers eux: parents, amis, personnel soignant, bénévoles[1].

1. Des malades et de leurs familles

Le premier conseil que l'on peut donner aux familles, à mon avis, est de faire un effort réel pour accepter la maladie d'Alzheimer dès qu'elle se manifeste et telle qu'elle se présente. C'est très difficile, mais il est d'une importance capitale d'aller en ce sens. Se fermer les yeux ou mettre la tête dans le sable, comme une autruche, n'avancera à rien; bien au contraire, cela conduira à de plus grandes misères et à des complications tant pour le malade que pour ses proches.

Accepter la vérité, ici comme ailleurs, c'est être intelligent. Alors seulement on peut s'interroger sur ce qu'il y a lieu de faire pour améliorer le sort de la personne qui se voit atteinte d'Alzheimer. Il faudra tout d'abord la rassurer en lui signifiant concrètement qu'on va l'assister, qu'on va s'occuper d'elle, qu'on va rester à ses côtés et l'accompagner dans cette dure épreuve.

Des mesures de précaution sont à prendre, le plus tôt possible. Ainsi, il faut s'enquérir d'avance avec le malade du type de maison de retraite où il voudrait aller, lorsqu'il ne pourra plus demeurer à son domicile, les proches n'étant plus en mesure de l'aider comme on peut le faire dans une institution spécialisée. Il conviendrait alors de l'amener visiter les maisons de retraite et de le laisser choisir, de mettre son nom sur des listes d'attente. Vu la rareté des maisons spécialisées pour les soins de longue durée et vu le nombre croissant de malades, l'anticipation est acte de sagesse.

Faire face à la maladie, c'est aussi se renseigner auprès de la Société de l'Alzheimer de sa région. Elle détient, en effet, beaucoup de renseignements précieux pour les familles, les assiste moralement en plus de fournir une aide concrète en les dirigeant vers les organismes régionaux qui feront progresser le dossier du malade en temps voulu pour les parents, qui ne peuvent placer les leurs dans une institution sans l'approbation du médecin et du comité social régional. En outre, le comité régional peut soulager les familles en leur proposant une aide de qualité à domicile et donner ainsi un avant-midi ou un après-midi de liberté aux proches qui sont chargés ordinairement du malade.

Faire face à l'Alzheimer qui affecte un parent, c'est encore savoir s'organiser avec les membres de la famille pour l'assister. Fixer à chacun sa journée ou son heure et se conformer à cet horaire facilitent grandement les choses pour celui ou celle qui a la responsabilité du malade et pour le malade lui-même.

L'accompagnement familial est en effet une épreuve très pénible à traverser, parce qu'extrêmement éprouvante physiquement et psychologiquement, tant pour celui qui doit être accompagné, que pour ceux qui doivent l'accompagner. C'est une expérience très douloureuse tout d'abord pour le malade lui-même, car il se voit séparé du monde environnant sans qu'il le veuille. Il vit une peine immense face à la maladie qui le traque et doit accepter son sort, ce qui est psychologiquement très pénible, le nombre des dérapages quotidiens ne cessant de croître. Il en a conscience, de sorte que ses craintes et sa peine vont en augmentant en un cycle de souffrance interminable. Il se trouve ainsi contraint d'accepter cette condition qui l'enchaîne et qui le fait tomber presque à chaque instant dans des pièges inattendus sans qu'il soit le moins du monde responsable de ses faux pas. Il lui faut donc (et trop peu de gens s'en aperçoivent!) une grande force de caractère, une force mentale et morale pour supporter les avatars de la maladie[2].

Par conséquent, il importe que le malade lui-même, dès qu'il se rend compte des signes annonciateurs de la maladie, prenne quelques dispositions pratiques pour mener courageusement ce combat. Ainsi, il faut qu'il s'aide à prévenir les multiples oublis, en plaçant des mémos dans son porte-monnaie, dans sa sacoche, près des appareils ménagers, des portes de sortie, des fenêtres, de la télé, de la radio et dans la salle de bain. Il doit se faire accompagner dans ses sorties par des parents ou des amis qui le comprennent et le soulagent. Il ne faudrait pas qu'il reste seul à son domicile à s'ennuyer et à broyer du noir: les membres de sa famille devraient être les premiers à en prendre charge.

L'Alzheimer a tendance à s'introvertir, vu l'angoisse qui le ronge et qu'il rumine toute la journée. La famille devrait donc imaginer des sorties et des visites pour essayer, autant que possible, de le distraire d'un mal aussi éprouvant et terrifiant dont, nous le répétons, le malade a dès le début beaucoup plus conscience qu'on ne le croit!

La famille et les amis doivent toujours garder une réserve de patience et de calme. Il est donc nécessaire de se remplacer à tour de rôle auprès du malade et bien sûr de le faire délicatement. En d'autres termes, il faut essayer de poursuivre une vie ordinaire, de se montrer régulier autant que possible et de le faire participer à toutes les tâches de la maison qu'il est encore capable d'accomplir (malgré les dérapages), car il souffre de ne pas être «comme les autres» et de ne pas se sentir «utile». S'il tombe dans des maladresses inéluctables, il convient de ne pas enfoncer le clou en lui répétant, par exemple, qu'il ne réussit pas, qu'il ne fait que des bêtises. Réprimander le malade ne donne rien de positif, au contraire, car le rendre responsable d'échecs auxquels il ne peut rien, c'est montrer dureté et incompréhension à son égard. Toujours souffrant et malheureux, l'Alzheimer n'a vraiment pas besoin que les bien-portants lui remettent sous les yeux sa détresse. Il n'a déjà que trop conscience de sa condition. Il faut, au contraire, *dédramatiser* ses cafouillages et en rire avec lui, car il faut toujours tenter d'alléger ses misères et penser à ce que nous aimerions que l'on fasse pour nous si nous étions à sa place.

Il ne faut pas non plus le délaisser. Il ne faut donc pas que sa famille et ses amis cessent de lui rendre visite et de converser avec lui sur des choses dont il aime bien parler. Il faut savoir le faire participer aux conversations et aux diverses activités qui se déroulent autour de lui. Lui donner aussi l'occasion de choisir les lieux de ses sorties et de s'exprimer sur le choix de la nourriture et des habits. Ainsi, on maintiendra plus longtemps, chez lui, un certain niveau intellectuel et linguistique en lui parlant régulièrement, de même qu'en l'aidant à lire et à parler lui-même, en lui permettant aussi de regarder ses émissions de télé préférées.

Pour ne pas contraindre le malade à demeurer chez lui comme un meuble immobile, on devrait encore, me semble-t-il, le laisser fouiller librement dans les armoires, les tiroirs ou les garde-robes. Il est essentiel qu'il continue d'avoir quelque occupation. On se gardera surtout de le laisser seul à la maison, car alors l'angoisse le saisit et il se sent pris de panique, puisqu'il ne peut lui-même appeler au secours s'il arrive quelque chose. Disons-nous bien que son seul point de repère, c'est le proche qui vit à côté de lui et que, dès qu'on le laisse seul, l'émotion et la peur le gagnent. Puisque plusieurs maisons spécialisées sont ouvertes aux Alzheimers pour la «garde de jour», il ne faut pas hésiter à y avoir recours, du moins lorsque des amis ne peuvent venir à la maison distraire les malades et soulager ceux qui s'occupent d'eux. Ces derniers, qui sont voués à une tâche si lourde et si épuisante, ont aussi besoin qu'on les aide. Sans doute y at-il pour cela, aujourd'hui, des maisons de retraite qui acceptent de prendre chez elles des patients pour des séjours dits «de répit». Il me semble qu'il y aurait mieux à faire. Peut-être, puisque des maisons ordinaires de retraite ne sont pas vraiment équipées pour fournir l'assistance qu'elles veulent offrir à nos malades, la Société d'Alzheimer pourrait-elle fonder un vrai «centre de vacances» en vue d'une telle assistance. Ainsi, les gens qu'on aurait rassemblés en ce lieu pour soulager leurs parents ne seraient pas isolés dans un milieu qui n'est pas fait pour eux: au contraire, ils se retrouveraient entre eux et bénéficieraient du soutien d'une équipe spécialement formée pour les assister.

Les obligations de la famille et des proches ne disparaissent pas lorsque le malade quitte son domicile pour une institution, car, même éloigné de son domicile, celui-ci continue à y penser et à désirer voir les membres de sa famille, en particulier ses petits-enfants. Il ne faut donc pas l'abandonner dans une institution sans venir l'y voir régulièrement, mais prendre soin de lui, par exemple, en le faisant manger, en le sortant à l'extérieur ou en passant une demi-journée avec lui. D'autant plus que le personnel de l'institution a besoin, à bien des points de vue, du soutien de la famille et qu'il n'est pas bon de voir un pensionnaire malheureux parce qu'abandonné des siens! Par ailleurs, les parents ont le devoir de s'intéresser à ce qui se passe dans la maison à laquelle ils ont confié leur malade: une collaboration effective entre le personnel de l'institution et les parents est toujours une chose très positive. Le personnel soignant se sent alors soutenu par la famille, avec laquelle il noue un rapport confiant. Tout le monde y gagne, le malade en particulier.

2. De la maison de retraite: son âme et sa pratique

Chaque maison de retraite, de par l'atmosphère qu'y diffusent la direction et à sa suite le personnel soignant, dégage l'air particulier qu'on y respire. Cet air peut varier d'un établissement à un autre. Les parents, les amis, les fonctionnaires du gouvernement provincial, ou toute autre personne qui entre dans la maison, peuvent y sentir une ambiance typique. C'est ce que je nommerais «l'esprit» de la maison ou, d'après Alain Etchegoyen, son «âme[3]». Mais qu'est-ce que «l'âme» ou «l'esprit» d'une maison de retraite? C'est ce qu'en font les administrateurs et le personnel soignant, car ce sont eux qui créent une ambiance ouverte et agréable, accueillante et décontractée, à travers un climat de travail sérieux. «L'âme», c'est donc la philosophie générale que choisit la direction et qui anime les différents membres du personnel travaillant sous sa conduite, médecins, infirmiers, infirmières, aides-soignants, bénévoles ainsi que ceux qui sont chargés de la cuisine et du nettoyage, car il ne faut pas oublier l'importance de ces derniers.

S'il existe un esprit d'ouverture et d'entente entre les divers secteurs de la maison, cet esprit se répandra partout à l'intérieur de ses murs, en animant ce qui s'y fait. Les pensionnaires respireront cette «âme» qui habite les lieux, et les parents, les amis, les visiteurs la respireront aussi. Et plus cette âme sera inspirée par des principes moraux qu'on y promeut réellement ou même par la foi religieuse qu'on y partage, plus cette maison sera animée et appréciée. Mus par cet esprit qui les unit étroitement les uns aux autres, ceux qui travaillent dans la maison verront leur coopération grandir et devenir plus efficace. Un climat de confiance favorise en effet les échanges à partir desquels on peut construire ensemble quelque chose de meilleur encore. L'interrogation collective des uns et des autres, l'échange des idées permettent d'améliorer les conditions de travail du personnel et les conditions de vie des malades, ce qui responsabilise davantage chacun face à son milieu. Pouvoir se regarder dans le miroir de ses activités et être heureux des résultats obtenus, c'est rejoindre l'idéal collectif de vie que l'on s'est fixé. Alors, des résultats étonnants proviendront des bonnes volontés réunies, car un esprit d'équipe renforcera les efforts individuels. On se soutiendra les uns les autres dans des tâches difficiles, en particulier lorsque les restrictions budgétaires imposeront une certaine pénurie de personnel[4].

Si donc il existe une ambiance chaleureuse là où vivent les Alzheimers, on se gardera d'oublier les préceptes pratiques qui en découlent. Le fil conducteur à suivre, sous ce rapport, consiste à se rappeler constamment ce que j'ai essayé de montrer dans les chapitres précédents: une conscience humaine souvent plus vive qu'on ne la croit, et en tout cas très sensible, survit presque jusqu'au dernier état de la maladie chez les Alzheimers. On les abordera donc toujours de façon respectueuse et attentive. Plus particulièrement, s'ils se trouvent dans des situations plus ou moins pénibles ou embarrassantes, on commencera par porter sur eux un regard de sympathie et de bonne humeur[5].

Par exemple, il ne convient pas, même sous l'emprise d'une émotion soudaine, de dramatiser les accidents qui leur arrivent. Il faut se souvenir tout de suite, au contraire, que les pauvres Alzheimers ne sont en général pour rien, en tout cas volontairement, dans ces accidents. Sans doute le personnel soignant subit-il, maintes fois par jour, les inconvénients qui en résultent, mais pour remplir sa mission, il doit essayer de percevoir ce qui arrive de la façon la moins négative possible. Ainsi, lorsque A, qu'on avait péniblement habillé à peine dix minutes auparavant, vient à se déshabiller, ou lorsque B échappe son assiette par terre en salissant le pantalon de l'infirmière, il faut essayer — et ce n'est pas toujours facile — de réprimer le mouvement d'énervement et d'irritation qui nous est si naturel. Il faut se faire le plus vite possible une raison: on ne peut changer le malade, donc, il vaut mieux éviter des remarques négatives, même bénignes et rapides, qui blessent le malade. Si C n'ouvre pas la bouche au bon moment pour saisir la nourriture qu'on lui donne à la cuillère, il est inutile de lui faire la leçon: il vaut mieux lui répéter d'ouvrir la bouche en lui disant de montrer ses belles dents, comme le fit un jour une infirmière, pour parvenir au résultat voulu. De même, si D vous crache à la figure faute de vouloir manger, prenez du recul et ne dites rien, ne faites rien. Allez faire manger le voisin. Peut-être les choses se replaceront-elles d'elles-mêmes.

En revanche, il faudrait donner le temps de le faire à ceux qui veulent manger par eux-mêmes, même si cela contrarie le personnel, qui préférerait accélérer le processus. Je le répète, les Alzheimers sont contents de pouvoir encore faire quelque chose par eux-mêmes. Ainsi, il convient de ne pas décourager, mais au contraire d'assister ceux qui tentent de mettre des napperons aux tables. Les bénévoles peuvent être d'un précieux secours à cet égard.

Un problème que rencontre fréquemment le personnel soignant provient des plaintes des patients qui disent éprouver soit des malaises, soit de la douleur à tel ou tel endroit de leur corps. Doit-on vraiment les croire? On entend dire parfois à ce sujet que «s'ils ont mal, c'est seulement dans leur tête», que «cela se passe!» Faut-il donc ignorer les plaintes qui semblent pourtant signaler une douleur? À mon humble avis, les Alzheimers ressentent véritablement la douleur dont ils se plaignent. On s'en rend compte, lorsqu'ils sont restés assis pendant des heures sur leur fauteuil roulant et qu'on les lève de là: certains poussent un soupir de soulagement, tandis que d'autres répondent: «Ça va mieux, mes jambes me faisaient mal, je me sens bien maintenant.» D'autres vous remercient de les coucher dans leur lit. Peut-être qu'en effectuant de petits exercices, mouvements, massages des bras et des jambes, en soulevant le malade, en le replaçant correctement sur son fauteuil, on lui apporterait quelque réconfort. Si j'en crois mon expérience, je dirai que dans des cas semblables le malade qui se plaignait souffrait réellement. La souffrance réveille d'ailleurs ceux qui semblent les plus endormis. Certains pleurent ou se plaignent, d'autres tremblent sans rien dire. Il faut toujours prendre au sérieux le malade qui dit éprouver de la douleur, même si celle-ci demeure cachée à notre regard. On a de fortes chances d'être en face d'un réel problème de santé. Ce n'est pas un argument valable que de se dire que, le cerveau de l'Alzheimer étant affecté, il ne ressent pas les douleurs, qu'elles soient physiques ou psychologiques! On ne doit pas poser l'adéquation facile mais fausse entre un Alzheimer et un malade imaginaire!

L'attention qu'il faut apporter aux conversations et aux discours plus ou moins cohérents ou topiques des Alzheimers pose un problème tout aussi grave, car ces malades s'ennuient et ils veulent parler avec d'autres personnes. Il convient, à mon avis, de ne pas les ignorer, d'autant plus que, maintes fois, un petit mot suffira pour répondre à leur attente — ce qu'on peut presque toujours leur dire même quand on est très occupé à une autre tâche.

Voici une situation plus spécifique. Une malade veut converser avec vous. Elle commence à balbutier des mots plus ou moins audibles. Faut-il continuer à s'intéresser à son balbutiement? À mon avis, il convient de s'accrocher à ses paroles en la regardant dans les yeux. En général, la personne va continuer à parler et, à mesure qu'elle va prendre confiance en elle-même, elle va articuler des phrases plus compréhensibles, qui pourront être ponctuées par des éclats de rire et exprimer des intentions et des sentiments. Alors, il est bon, me semble-t-il, de continuer à faire parler la personne, en lui posant, par exemple, une question très simple et en attendant la réponse sans l'interrompre au milieu de ses efforts.

Dans les cas semblables, nombre de malades finiront par retrouver des souvenirs oubliés. Il faudra alors les écouter, car ainsi on leur donne l'occasion de sortir d'eux-mêmes et de rejoindre celui qui les écoute. Comme, en effet, ils font tous et toutes de leur mieux, il ne faut pas refuser de les écouter. Prisonniers ou prisonnières de leur maladie, ils font des efforts inouïs pour nous parler. Ce serait donc se montrer insensible que de les ignorer dans ces circonstances où ils ont tant besoin de notre attention et de notre sympathie.

Faut-il alors, lorsqu'on converse ainsi avec eux, entrer dans le jeu de leurs errances, et même de ce que certains appellent «des mensonges», ou au contraire les contredire comme si on voulait les remettre dans le chemin de ce que nous savons être la vérité? À mon avis, cette dernière attitude n'est pas convenable, ni même intelligente, car premièrement elle consiste à traiter les Alzheimers comme s'ils avaient encore toutes leurs facultés, donc comme s'ils étaient des bien-portants dont il s'agirait seulement de redresser le jugement. Or, précisément les Alzheimers ne perçoivent pas le monde comme les bienportants et ils ne jugent plus d'après le même ensemble de données. Il est donc impossible de les remettre sur le chemin du jugement que nous estimons normal. Malgré ce changement capital chez eux dans les processus de la perception et de la mémoire, ils restent à leur manière des êtres intelligents et surtout très sensibles. En essayant de contredire, parfois sans précaution, ce qu'ils considèrent, eux, comme la vérité, on risque de les blesser profondément et de leur faire beaucoup de mal, sans pouvoir remédier à quoi que ce soit. Anxieux, peinés, ils ont conscience, pendant très longtemps, de leur triste état. Je l'ai déjà souligné, les dérapages passés ou présents et la crainte de dérapages futurs les entraînent dans une sorte de cycle infernal. Le constat de leurs échecs et l'émotion qui s'ensuit les font souffrir vivement, en particulier parce qu'ils leur rappellent qu'ils ne sont plus comme les autres. Cette souffrance les rend très vulnérables et si on l'avive par des rebuffades, on leur rabaisse le moral. Surtout au début de leur maladie, mais plus longtemps qu'on ne le croit, ils craignent d'être considérés comme des imbéciles ou des fous. Même quand la maladie s'est aggravée, quand par conséquent ils ne jugent plus aussi nettement leur état, le fait d'être contredits sans précaution sur ce qu'ils croient être la vérité aggrave chez eux le sentiment de déprime, en accentuant l'impression de n'être «plus bon à rien». Une sorte de névrose s'installe donc en plus de l'Alzheimer! Ceci signifie qu'il faut agir autrement, c'est-à-dire plus humainement et plus intelligemment qu'on le recommande souvent lorsqu'il est question du vrai et des croyances en face des personnes malades[6].

3. Que faire dans une situation de crise?

Les situations de crise sont des moments difficiles où l'on cherche quelle recette nous permettrait de sortir de l'espèce d'impasse psychologique dans laquelle se trouvent brusquement les malades, alors qu'ils s'interrogent de façon vive sur des sujets variés. Cette inquiétude les enferme dans un état d'obstination ou dans une sorte de guet-apens constitué d'idées fixes. Je vais décrire et analyser trois de ces cas et indiquer la méthode que j'ai essayé de mettre en pratique pour échapper à la situation de crise, pendant mes heures dites «d'écoute et de support moral».

ÉTUDE DE TROIS EXEMPLES

a) Une malade attend un être cher

Une dame D m'interroge: «À quelle heure mon fils doit-il venir me voir?»

— Je ne sais pas exactement, Madame.

— Comment? Vous travaillez ici et vous ne savez pas?

— Je pense qu'habituellement il vient après le dîner, vers 19 heures 30.

— Comment le savez-vous?

— Parce que tous les soirs je le vois arriver vers 19 heures 30.

— Quelle heure est-il à présent?

— 18 heures, Madame.

— Alors 18 heures, ce n'est pas 19 heures 30. Comment vais-je faire?

— Restez ici et il viendra vous trouver.

— Ah, non, il me faut descendre, car il ne saura jamais où je suis.

La dame se dirige vers l'ascenseur en me pressant de l'accompagner, mais le règlement me l'interdit et, de plus, je ne peux m'absenter et laisser seuls les autres malades dont je suis toujours responsable. Il est alors très difficile de faire comprendre à cette pauvre dame pourquoi je ne peux aller en bas avec elle. Je lui explique que j'ai à m'occuper du groupe de personnes qui se trouvent là et qui ont aussi besoin de moi. D me répond, ennuyée mais avec gentillesse: «Alors vous ne pourrez pas venir en bas, c'est vrai? Mais êtes-vous certaine que mon fils viendra et qu'il saura me trouver ici? Il est bien occupé et il peut se perdre dans cet édifice.» «Vous verrez, tout se déroulera correctement.»

J'ai vraiment hâte de voir son fils à l'étage, mais sait-on jamais? Je l'invite alors à se joindre au groupe en attendant l'arrivée de son fils. Elle dit «oui» en me prenant la main et en se dirigeant avec moi vers les autres malades.

b) *E veut prendre un taxi pour revenir*
    à son ancien appartement

E m'aborde: «Je perds la mémoire, ce n'est pas comme avant, je suis dans la lune. Reconduis-moi donc à mon appartement.» Je l'accompagne à sa chambre sur l'étage. Elle y rentre, regarde les meubles et son lit et réplique: «Non, ce n'est pas ici que je reste.» Je médite: que faire? E continue: «Appelle le taxi. Où est ma sacoche?» Elle fouille dans son tiroir, mais ne la trouve pas. Je l'aide à la chercher mais sans succès. Enfin elle me dit: «As-tu de l'argent sur toi? Tu pourrais payer d'avance le taxi et une fois rendue à la maison, je te le remettrais.»

E cherche alors le téléphone, elle prend l'appareil et dit: «Taxi, venez me prendre pour le X», mais elle ne s'aperçoit pas que le fil est coupé. «Ils ne répondent pas», dit-elle. Je ne sais que dire, mais elle poursuit: «Ne m'abandonne pas. Tu vas venir avec moi au X, on va descendre et prendre le taxi en bas.»

Je ne veux pas la contrarier ni la brusquer. Que dire, alors? Soudain je regarde discrètement ma montre. Je constate qu'il est 18 heures et je le lui dis. E regarde alors la sienne, mais y lit 15 heures, ce qui l'incite à vouloir prendre l'ascenseur tout de suite. Pour essayer de l'en empêcher, je lui dis: «Vous avez 15 heures à votre montre, mais j'ai 18 heures à la mienne, il doit y avoir une erreur quelque part. Voulez-vous vérifier qui de nous deux a la bonne heure? Il faut le vérifier avant de partir.» E marche avec moi vers l'horloge et lit: «Il est 18 heures.» Cependant, elle veut toujours partir.

L'idée me vient de l'amener à une fenêtre et de lui dire: «Regardez dehors, c'est l'hiver, il neige et il fait noir!» E s'avance vers la fenêtre, regarde attentivement, puis se retourne vers ma direction en soupirant: «Qu'est-ce que je vais faire, dehors, le soir, à la noirceur pour attendre un taxi et m'en aller toute seule avec le chauffeur au X? Ne pourrais-je pas dormir ici?»

Je lui réponds évidemment par l'affirmative. E se trouve contente de rester à l'abri dans la maison de retraite et elle s'apaise.

COMMENTAIRE DE CES DEUX CAS

Que s'est-il passé dans la tête de ces deux dames? Pour autant que je puisse en juger, j'avais affaire à une remontée de souvenirs et d'émotions passées qui étaient appréhendés comme présents. C'est pourquoi les deux dames se sont inquiétées, la première de savoir comment son fils, après avoir fini son travail, allait pouvoir arriver à la maison de retraite, la deuxième se demandant comment elle pourrait partir en taxi pour rejoindre son appartement habituel. Il y a donc ici confusion entre du passé vécu comme présent et un présent réel dans lequel elles se trouvent. Mais comme elles ne se rendent pas compte qu'il s'agit d'un mélange imaginaire, vécu comme s'il était réel, elles veulent nous y entraîner, sachant qu'elles ne peuvent s'en sortir seules, pour les aider à se tirer d'affaire. À mon avis, ce qu'il y avait de mieux à faire dans pareils cas était justement ce que j'ai essayé de faire inopinément: rentrer dans le jeu de ces deux dames pour leur faire accepter doucement leur situation présente.

c)   Une malade boude enfermée dans sa chambre

A s'enferme dans sa chambre, qu'elle partage avec une autre malade qui s'y trouve. Elle verrouille sa porte. Une amie C veut lui parler: «Ouvrez la porte!» Mais la porte reste fermée.

Ennuyée de cette situation qui dure, je m'approche de la chambre: «Allô A, je suis B. Êtes-vous malade? J'ai peur que vous le soyez. Qu'est-ce qui ne va pas? Allô, A, venez me dire un mot.» A répond: «Je ne veux pas ouvrir la porte, je reste dans ma chambre. Laissez-moi tranquille.»

Je reviens vers le groupe de dames qui attendent A et qui, d'habitude, vont chanter le soir avec elle. C est attristée: «Pourquoi ne veut-elle pas m'ouvrir la porte? What have I done to her? Nothing, she closed the door, I can't speak to her anymore!»

J'essaie alors de calmer C qui ne cesse de répéter: «What have I done to her? Why doesn't she come with us?», mais j'avertis aussi deux infirmières que A s'est enfermée. Les infirmières vont à la porte pour lui dire: «Ouvrez, Madame, ouvrez la porte, on ne doit pas la verrouiller. Le règlement exige que les portes restent ouvertes.» Elles tentent d'ouvrir la porte de A, mais en vain. Elles croient donc qu'il vaut mieux laisser faire en attendant que A décide de sortir.

C ne cesse d'être anxieuse: «Why is she still in her room?»

Je reviens à la porte de A: «C'est B qui vous parle. Êtes-vous malade? Avez-vous mal quelque part? J'aimerais bien vous entendre dire un mot, car je saurais que vous n'êtes pas malade au moins.»

A crie de la chambre: «Êtes-vous toute seule à la porte? C'est certain?»

— «Oui.» Et A de répliquer: «J'ouvre cinq minutes, mais je barre la porte si vous entrez.»

La porte s'ouvre enfin et je demande tout de suite à A si elle a mal quelque part. «Non, me répond-elle, mais je ne suis pas contente. Je ne veux pas les voir.» «Pourquoi?», lui demandé-je. «C'est parce qu'on ne peut rien faire ici. Je voulais placer les napperons sur la table, on n'a pas voulu. Je voulais m'occuper, on me le refuse. Je suis encore capable d'aider, mais comme on n'a pas voulu, je suis partie sans souper, je n'avais plus faim. Maintenant que vous savez ce qui s'est passé, laissez-moi tranquille.»

A s'obstine à rester dans la chambre, la porte toujours verrouillée. Avant de sortir, je lui dis: «Madame, ne restez pas là à vous faire des idées noires. Vous êtes dans la peine et aussi un petit peu en colère. Vous nous abandonnez ce soir alors que toutes les dames, sans exception, vous aiment bien et vous demandent pour chanter avec elles. Or, avant de chanter, on demandera si vous pouvez dîner. On va chercher quelque chose, car vous ne pouvez rester sans avoir mangé. Pensez aussi que vous enfermez votre voisine qui partage votre chambre. Elle et sa fille sont très gentilles. Comment les infirmières soigneront-elles cette dame si vous persistez à garder la porte verrouillée? Ni les infirmières ni sa fille ne seront contentes de vous. Vous ne pouvez leur faire cela, elles veulent votre bien à vous aussi! Si vous voulez, restez dans la chambre, fermez la porte, mais ne la verrouillez pas.»

Je vais retrouver les autres malades. A ne sort toujours pas de la chambre, mais cette fois elle n'a pas verrouillé la porte. Un peu de temps s'écoule. D'autres dames demandent pourquoi A ne vient pas. Je reviens à la porte de A et dis: «Madame, s'il vous plaît, ne restez pas comme cela dans la peine. On finira par arranger les choses, vous verrez. Venez donc avec nous.»

J'entends des pas, la porte s'ouvre et A déclare: «On est mieux de comprendre que je veux aider, que je veux faire quelque chose, ce n'est pas parce qu'on a l'Alzheimer qu'on est comme les gens de Saint-Jean-de-Dieu de Montréal, nous ne sommes pas des fous.» «Personne ne le pense, Madame, répliqué-je, même si on doit avoir aussi pitié des fous de Saint-Jean-de-Dieu.» A dit alors: «Si c'est vrai, je reviens avec vous passer la soirée, mais dites aux autres que je veux placer les napperons sur les tables!»

Nous avons affaire ici à une personne frappée depuis peu par la maladie. La dame en question a une exacte conscience d'elle-même, de ses souvenirs et de ce qui se passe dans le présent. Elle sait qu'elle est atteinte de la maladie, mais elle ne se sent pas malade au point de rester à ne rien faire. L'inactivité lui pèse donc et l'ennuie beaucoup, ce qui est évidemment très frustrant. C'est cela qui a causé le petit drame de bouderie obstinée, très alarmant pour l'entourage, que je viens de décrire. La solution ici me paraît très simple: il eût fallu, comme d'ailleurs on l'a fait depuis, chercher à occuper davantage les personnes comme A. Le personnel soignant y gagnerait en allègement de tâches. Ce serait surtout bénéfique pour les malades eux-mêmes, car ils conserveraient plus longtemps les capacités qui leur restent. Il faudrait donc pouvoir généraliser, pour des malades comme A, une plus grande participation à quelque activité quotidienne, par exemple en les regroupant avec des malades à peu près du même niveau et même en les laissant en rapport avec des bien-portants.

On peut dégager des réflexions d'ensemble sur ces trois cas de crise et sur l'espèce d'impasse dans laquelle ils m'avaient mise. Comment sortir de telles impasses? Voilà la question. La vérité, me semble-t-il, c'est qu'en écoutant et en accompagnant les malades victimes de tels états de crise, on part dans une sorte d'aventure où on ignore tout à fait ce qu'on dira et à quoi on aboutira. On n'est jamais certain à l'avance du résultat qu'on obtiendra. Ainsi, j'avançais à tâtons dans les cas que je viens de rappeler, comme si je marchais en terre inconnue. Je ne savais jamais si je pourrais résoudre la crise psychologique qui accablait ces pauvres personnes, crise existentielle et angoissante, faut-il préciser au passage, et non crise démentielle. Si elles ont le cerveau affaibli et abîmé, elles n'ont pas nécessairement l'esprit détraqué, comme on peut le vérifier aisément dans un grand nombre de cas.

Ma méthode, face aux crises dont je viens de parler, consiste donc d'abord à sympathiser vraiment avec le malade, à entrer dans «son monde», à lui parler du sujet qui le préoccupe. Ensuite, j'attends, d'une manière qui n'est pas exempte d'angoisse, mais en essayant de rester très calme, l'issue qui pourrait me permettre de faire retrouver la paix au malade, donc de lui faire regagner son calme et son rapport ordinaire avec l'entourage. Par conséquent, j'essaie d'imaginer quelque solution plausible à partir de ce que la personne en crise me raconte, en faisant appel le plus possible à sa raison, car nombre de ces personnes raisonnent encore correctement et distinguent le raisonnable du déraisonnable. C'est donc dans cette direction que je tente de découvrir une porte de sortie, en cherchant une raison que le malade pourrait approuver[7]. Autrement dit, je cherche en lui une petite fenêtre qui s'ouvrirait sur un cheminement qui pourrait l'amener à bon port. C'est très important, me semble-t-il, car toute sa personne est engagée dans la crise, et par le fait même tous les sentiments et toutes les pensées dont il est capable. En d'autres termes, le rôle principal de la personne qui assiste les Alzheimers, dans ces moments de crise, est de les aider à découvrir eux-mêmes la raison qui calme leur souci et leur rend la paix.

Références

[1] Je pense que l'accompagnement permet aux malades une sorte d'exutoire positif pour leur psychisme. Cet accompagnement, tout un chacun peut le pratiquer. Et c'est justement cette rencontre des patients avec plusieurs accompagnateurs provenant de différents métiers, médecins, infirmières, bénévoles, etc. qui constitue une approche transversale et met déjà en place une première thérapie.

[2] On peut se demander à ce sujet s'il ne serait pas bénéfique pour le malade, comme pour la famille, de faire l'objet d'un suivi psychologique qui aiderait les uns et les autres à mieux comprendre la nature de la maladie.

[3] A. Etchegoyen, *Les entreprises ont-elles une âme?* Je transpose cette idée de l'âme de l'entreprise à celle de l'âme des institutions ou des maisons de retraite.

[4] À mon avis, un horaire quotidien de huit heures est très difficile à soutenir quand on a affaire à des malades comme les Alzheimers, les handicapés mentaux ou les grands accidentés.

[5] Il faut en effet se garder d'oublier que les personnes atteintes d'Alzheimer, qui conservent leur âme, ont aussi, comme les bien-portants, des besoins spirituels, et non seulement physiques. Elles ont peur, en particulier, d'être rejetées par l'entourage et de ne plus être aimées, justement parce qu'elles portent sur elles-mêmes un regard dévalorisant et finissent, parfois, par se juger peu dignes d'affection. Ce qui implique qu'on leur fasse sentir celle qu'on éprouve à leur endroit.

[6] M regarde une peinture au mur du salon. C'est un paysage campagnard: on y voit la ferme, la maison en bois, des enfants jouant en plein air avec un chien. M devient tout heureuse en examinant le tableau et déclare à N: «Regarde, c'est la maison où nous vivions autrefois!» N répond: «Bien sûr que non, cela n'a rien à voir avec la maison de tes parents, ce n'est pas la même maison, ni le même paysage.» M s'obstine à croire que c'est sa maison et son paysage d'autrefois. La tension monte d'un degré et N réplique: «C'est un mensonge ce que tu dis. Ce n'est pas vrai!» M, étonnée, ne sait plus que dire et retombe dans la tristesse et le silence. Fallait-il donc essayer de la détromper? À mon avis, non.

[7] Mme X se trouve dans l'ascenseur. L'alarme fonctionne et l'ascenseur ne descend pas. Toutefois, Mme X s'entête à ne pas vouloir en sortir. Deux personnes tentent de la faire sortir, rien n'y fait. En voyant cela, l'idée me vient soudainement de lui dire: «You do not want to be stuck in the elevator!» Mme X sort en vitesse de l'ascenseur.

Des préjugés à dissiper

Depuis que je m'occupe des personnes atteintes d'Alzheimer, et comme je l'ai noté tout au long de cet ouvrage, je me suis heurtée à nombre de préjugés qui nuisent beaucoup à la compréhension de la maladie et font obstacle tant à l'écoute psychologique qu'à l'attention morale qu'on doit accorder aux malades. Ces préjugés sont hélas largement répandus car, provenant de divers milieux, ils se propagent de bouche à oreille, tout un chacun se croyant avisé de les répéter avec plus d'assurance, comme pour mieux s'en convaincre. Le malheur, c'est que ces préjugés sont causes d'incompréhension et de mauvaises attitudes, même chez les gens qui en eux-mêmes sont braves, mais n'ont pas assez réfléchi au sujet. C'est pourquoi il importe de dénoncer de tels préjugés. Je vais ici recenser, sous trois ou quatre types, quelques-uns de ceux qui me semblent à la fois les plus mal fondés et les plus nocifs. Ce regroupement pourrait aider à mieux les combattre.

Le plus faux, comme le plus nocif de ces préjugés consiste à considérer les Alzheimers comme des «légumes[1]», comme le dit une formule aussi souvent entendue que superficielle et injurieuse. Sans doute y a-t-il chez eux une sorte de régression vers une vie végétative, d'où la comparaison de ces pauvres malades avec les «vegetables». Mais cette comparaison grossière, qui permet d'ailleurs tant d'attitudes négligentes sinon brutales, est très mal fondée. Ainsi que je l'ai montré dans mes analyses et dans mes descriptions, une véritable conscience humaine survit presque jusqu'au bout, bien qu'atrophiée et malheureusement handicapée, chez l'Alzheimer. De plus, cette comparaison est moralement condamnable, car elle fait oublier le respect et l'amitié que l'on devrait garder pour ces personnes humaines à part entière que sont les Alzheimers. Il serait donc urgent de chasser de notre langage l'injurieuse formule.

On dit encore que les Alzheimers «tombent en enfance». Il y a en ceci, plus encore que dans le cas précédent, un brin d'exactitude. Ces malades ont souvent en effet une sorte de naïveté, de gaucherie, de balbutiement et d'hésitation qui peuvent faire songer à de tout petits enfants. Toutefois, quand on entre en rapport étroit et quotidien avec eux, on voit bien qu'ils sont tout simplement, comme tant d'autres, des adultes vieillissants. Le souvenir du passé et en particulier de leur propre enfance, comme de leur vie familiale, demeure vif chez la plupart d'entre eux, même s'il est en partie occulté et brisé par la maladie. Contrairement à ce que le préjugé du retour en enfance suggère, il importe donc de les traiter en adultes et plus spécialement de ne jamais faire comme s'ils ne s'apercevaient en rien de ce qui se dit et se fait autour d'eux.

On entend aussi: «Les Alzheimers perdent la tête.» C'est bien vrai que ces malheureux malades perdent peu à peu la plupart de leurs repères — d'abord l'espace et le temps —, ainsi qu'une grande part de leurs capacités intellectuelles et pratiques. Mais comme je l'ai souligné tout au long de ce travail, ils gardent souvent une forme de jugement plus juste et plus fin qu'on ne le croit. En tout cas, ils ne sont pas fous et, à mon avis, le terme médical de «démence sénile» qu'on emploie trop souvent à leur endroit induit en erreur, donc peut cautionner, du moins chez le commun des mortels, des attitudes néfastes. C'est pourquoi, une fois encore, il convient de corriger un langage qui induit si aisément des attitudes inconvenantes et très préjudiciables aux malades.

Un autre préjugé consiste à imaginer que les personnes Alzheimer ne souffrent pas de leur état et que ce sont seulement leurs proches qui souffrent de les voir ainsi. Malheureusement, un préjugé de ce genre se trouve parfois véhiculé par des études qui se disent savantes[2]. La réalité est tout autre. L'Alzheimer fait deux victimes: l'entourage du malade ou ceux qui doivent s'en occuper, bien sûr, mais d'abord le pauvre malade lui-même qui, même s'il oublie, garde souvent, et même longtemps, une vive conscience de son état et se voit diminué gravement et douloureusement dans son âme comme dans son corps. Il faut donc traiter les Alzheimers comme des êtres souffrants.

Enfin, il me semble opportun de me poser des questions sur les méthodes que j'ai vu employer pour évaluer l'avancement de la maladie avant que le malade n'entre à la maison de retraite[3]. Sans doute cette procédure d'évaluation, quoiqu'elle me paraisse très inadéquate,

<u>La conscience chez les personnes Alzheimer</u>
Marie Guertin, Médiaspaul

<u>Notes:</u>

- Villa Marguerite
  Au Centre Élisabeth Bruyère (2) p. 7

- Directrice des soins de Villa Marguerite,
  Mme Lyne D. Chartrand (3) p. 7

- SCO : Sœurs de la Charité d'Ottawa, Ottawa (3) p.10

- Définition médicale de la maladie d'Alzheimer p. 96

....

ne manque-t-elle pas de quelques motivations. Les malades qui se pressent aux portes des maisons de retraite sont maintenant très nombreux. Ils ne peuvent donc tous y entrer en même temps. Les assistants sociaux ont à déterminer quels sont ceux qu'il est urgent, en toute objectivité, d'y faire entrer. D'où ces méthodes d'évaluation qui veulent être aussi objectives que possible. Il n'empêche que la multiplication et la répétition des tests, tels que je les ai vu effectuer sous mes yeux, nous paraissent fortement dommageables pour les malades.

La méthode consistait à faire passer une sorte d'examen oral à la personne affectée. Cet examen comprenait des questions générales sur la politique, la géographie, etc., comme si on était en présence d'élèves du primaire pour un examen de fin d'année. À chaque réponse, l'assistante sociale mettait une coche à la case attenante à la question sur le formulaire qu'elle tenait dans ses mains. Tout ceci devant l'examiné. Ensuite, elle donnait le résultat final au malade: «Vous avez eu 3, 4 bonnes réponses sur 20.» Si l'assistante sociale remplissait ses feuilles avec compétence et application, elle ne se rendait pas compte de l'effet de cette méthode sur le malade.

Aux yeux de l'autorité compétente, on a peut-être évalué correctement le niveau du malade mais, à ses yeux, on lui a jeté sans ménagement à la face qu'il a failli au test, qu'il n'est pas bon, en somme, qu'il ne vaut rien. On a fait subir une sorte d'affront à sa mémoire, à son intelligence et à son cœur. Est-ce là une façon de prendre soin de lui et de respecter, comme on le proclame si haut, la personne humaine qui est en lui?

Cette situation, je l'ai moi-même vécue en la personne de ma pauvre sœur. Interrogée de la sorte, elle voyait ses échecs dans les réponses aux questions qui lui étaient posées. Elle devenait alors angoissée, bouleversée, et restait très affectée pendant plusieurs jours. Elle ne cessait plus de méditer sur l'aggravation de son état. Sa peine devenait immense et ma sœur était inconsolable, au point qu'elle a fini par développer une angine de poitrine.

Cette méthode d'évaluation, qui, en définitive, n'apprenait pas grand-chose qu'on n'aurait pu voir autrement sur l'évolution de la maladie, produisait donc une inutile mais véritable torture psychologique. Je me demandais comment on avait pu la mettre en pratique sans se rendre compte de sa funeste répercussion sur le malade.

Une simple visite amicale d'une assistante sociale, une simple conversation d'une demi-heure, aurait sans doute pu faire l'affaire. Elle aurait apporté en même temps réconfort et encouragement au malade, au lieu de le déprimer.

C'est pourquoi la méthode d'évaluation en usage, avant l'entrée en maison de retraite, me paraît relever des préjugés très dommageables à dissiper.

Références

[1] On a presque envie de rétorquer à ceux qui disent cela: «Légume toi-même.»

[2] Zarit, S.S J.M., *The hidden Victims of Alzheimer's Diseases*, NYP, 1985.

[3] Je précise que j'ignore qui sont les auteurs de cette méthode d'évaluation. Les assistantes sociales utilisaient cette méthode à domicile faute d'avoir autre chose à leur disposition. J'espère que la méthode du personnel médical est autre, mais je n'ai pas eu l'occasion de le vérifier. Plusieurs personnes ont vécu le même étonnement que moi sur le type de méthode d'évaluation employé parce qu'elles ont vu les mêmes réactions de déprime chez leurs parents.

Another Beatitude *by Elisabeth Clark*

Blessed are they who understand
my faltering step and shaking hand,
Blessed, who know my ears today
must strain to catch the things they say,
Blessed are they who seem to know
my eyes are dim and my mind is slow,
Blessed are those who looked away,
I spilled my tea on the cloth that day!
Blessed are they who, with cheery smile,
stopped to chat for a little while,
Blessed are they who know the way
to bring back memories of yesterday,
Blessed are they who never say,
«you've told that story twice today!»
Blessed are they who make it known
that I'm loved, respected and not alone,
And blessed are those who will ease the days
of my journey home, in loving ways.

Une autre béatitude *par Elisabeth Clark*

*Bénis sont ceux qui comprennent mon
pas chancelant et ma main tremblante,
Bénis ceux qui savent que mes oreilles aujourd'hui
doivent se tendre pour saisir ce qu'ils disent,
Bénis ceux qui semblent reconnaître que mes yeux
sont affaiblis et que mon esprit est lent,
Bénis sont ceux qui ont regardé ailleurs
quand j'ai versé mon thé sur la nappe ce jour-là!
Bénis sont ceux qui, avec un sourire avenant,
se sont arrêtés pour causer quelque temps,
Bénis sont ceux qui connaissent la manière
de ramener les souvenirs d'autrefois,
Bénis sont ceux qui ne disent jamais:
«Vous avez raconté deux fois cette histoire aujourd'hui!»
Bénis sont ceux qui me font savoir qu'on m'aime,
qu'on me respecte et que je ne suis pas seul,
Bénis sont ceux qui rendront plus aisés les jours
de mon retour à la maison, par des gestes affectueux.*

ÉCOUTE MORALE
ET ACCOMPAGNEMENT

Pour une éthique de la compassion

> *Toucher à un être humain, c'est toucher à Dieu;*
> *faire mal à un être humain, c'est faire mal à Dieu;*
> *prendre soin d'un être humain, c'est prendre soin de Dieu.*

Benoît Garceau

Qu'entends-je donc, pour jeter un dernier regard sur mon travail, par une éthique des comportements adaptée aux malades de l'Alzheimer? Il s'agit d'un ensemble de préceptes et de conseils qui guideront et gouverneront les attitudes morales que nous devrions avoir vis-à-vis de ces malades, ainsi que les paroles et les actes qui devraient être les nôtres dans nos rapports avec eux. Comme je l'ai déjà souligné, le principe général de cette espèce de code[1] est l'attention à la personne humaine qui demeure entière et à la conscience qui survit, même si elle est plus ou moins gravement atrophiée chez l'Alzheimer. Il s'agit donc, une fois que tous les soins d'hygiène, de nourriture et de santé sont assurés, de considérer ce qui reste à faire à l'endroit des malades au niveau psychologique et humain. Ils sont en droit d'attendre, en plus des soins proprement médicaux, une attention et une sollicitude de ce genre en harmonie avec ce qu'ils sont.

Comme bien d'autres handicapés, les Alzheimers peuvent évoluer, selon leur rythme et à leur manière. On sait très bien qu'un aveugle, et de même un sourd, un muet, un paralysé peuvent compenser la carence d'un organe par le recours à quelque moyen de remplacement. Il semblerait, comme le remarque Jean Vanier qui a consacré sa vie et en quelque sorte son âme aux handicapés mentaux, «qu'il y a, dans chaque être vivant, un système de compensation. Si la raison ne peut se développer à cause d'une maladie, l'énergie vitale coulera dans une autre partie de l'être.» Il s'agit donc «de faciliter, de reconnaître ce développement différent, pour que la personne puisse atteindre la plénitude de son être et de sa vie telle qu'elle est[2]».

On pourrait aisément transposer cette pensée et l'appliquer aux malades de l'Alzheimer. Puisque survit en eux, comme je l'ai souligné à tant de reprises, une conscience humaine certes gravement handicapée, mais encore très présente et très sensible, il reste encore plusieurs avenues à explorer, afin de préserver et même de favoriser chez eux, autant que possible, une vie psychologique et humaine. En d'autres termes, je soutiens qu'il y a chez les Alzheimers, comme Jean Vanier l'a dit des handicapés mentaux, des potentiels latents, des énergies persistantes qu'il s'agit de réveiller. Il y a donc dans ce domaine aussi toute une gamme de possibilités qu'il convient d'explorer et de mettre en œuvre. Ainsi, il est bon de continuer à s'adresser à ces personnes dans leur langue maternelle, de l'entretenir et si possible d'améliorer ce qu'elles en conservent, ou encore d'éveiller continuellement leur esprit par le biais de la conversation et d'activités diversifiées.

Il serait également utile de nous demander si nous portons suffisamment d'attention à leur langage symbolique, «non verbal». Ils s'expriment par leur regard, leur ton de voix, leurs gestes. Jean Vanier, expert en la matière, a développé toute une approche en ce sens et il déclare que l'attention à ces signes symboliques «révèle l'intérêt qu'on a pour l'autre, comme elle révèle aussi le désintérêt, le mépris et le rejet[3]». Il nous faut donc «apprendre à lire le visage, les yeux, l'attitude du corps, le cri et les angoisses[4]» des malades.

On pourrait dire dans cette perspective que les personnes Alzheimer sont comme le moule sur lequel il s'agit de calquer nos comportements et d'en chercher l'inspiration première. On commence par chercher à leur faire plaisir dans de petites choses, à apporter une attention particulière à leurs besoins immédiats. Il nous sera donc nécessaire de nous adapter à elles, et non pas de leur demander de s'adapter à nous. Autrement dit, l'effort doit aller de nous vers elles.

Pour cela, il nous sera encore nécessaire de chasser de nous-mêmes ces préjugés qui, comme l'a écrit Jean Vanier mieux que je saurais le faire moi-même, sont «des murs psychologiques que nous avons érigés en nous, entre nous et les autres[5]». Il convient donc de s'examiner pour les reconnaître et les démolir, puisqu'ils sont de gros obstacles à la communication avec autrui et tout particulièrement avec des handicapés.

Sans doute l'éthique des comportements envers les Alzheimers est-elle plus difficile encore à mettre en pratique qu'à définir, car elle est pleine d'exigences concrètes pour notre intelligence, notre sens de l'observation, notre bonne volonté, bref pour toute notre personne. Chacune et chacun a quelque chose à apporter selon ses talents. Ce n'est pas la peine de rêver à des situations imaginaires qui ne se produiront sans doute pas dans le réel; il vaut mieux axer notre regard sur la réalité présente. L'idéal ici consiste à savoir vivre dans la réalité de tous les jours. S'instaurer dans la réalité présente, c'est apprendre à s'accepter soi-même avec ses propres handicaps: ainsi nous serons plus réceptifs aux handicaps des autres. C'est aussi apprendre à ÉCOUTER. Savons-nous vraiment écouter? Le brouhaha, le stress, le temps qui court font que nous avons probablement perdu beaucoup du sens de l'écoute, tout d'abord envers nous-mêmes, en particulier dans l'organisation de nos journées, ensuite envers les autres. Nous ne nous accordons pas assez de temps, dans la bousculade des horaires et des charges multiples, pour écouter notre voix intérieure, écoute qui nous permettrait de réviser nos pensées et nos actions, de prendre du recul et ainsi de mieux évaluer nos comportements au travail, vis-à-vis des autres, donc de mieux ajuster ce que nous faisons à nos obligations.

Écouter l'autre, dans le cas précis des malades Alzheimer, c'est redonner du tonus à ces gens, qui ont une image très dévalorisée d'eux-mêmes. Plusieurs sont pris de découragement et il arrive même que certains aient des idées bien noires, car ils craignent d'être rejetés et cette crainte peut avoir des effets très pervers. Dans ces circonstances, notre rôle sera de montrer à nos malades «qu'ils sont importants et ont une valeur à nos yeux[6]». Nous saurons le leur faire comprendre par l'attention réelle que nous leur porterons.

Rappelons-nous en particulier que leur attente d'une réponse affective peut être si grande qu'elle s'exprime par des cris d'alarme et des lamentations[7]. En ce cas, une angoisse qui est douleur les envahit. Il faudra tenter de l'alléger par une approche calme et douce à la fois.

Cette approche nous inclinera à devenir des êtres de compassion. Jean Vanier fait une distinction très opportune, me semble-t-il, entre sentimentalité et compassion. Il rejette la sentimentalité qui ne répond pas autant qu'on se l'imagine au besoin réel de ceux qu'on doit assister, car elle porte la personne à être trop attentive à la chaleur et au débordement de ses propres sentiments, se donnant ainsi «bonne conscience» au mauvais sens du terme. Elle s'imagine faire quelque chose tandis qu'elle s'impose elle-même à celui qu'elle assiste au lieu de se demander ce dont celui-ci a réellement besoin. «L'attitude de compassion implique qu'on se laisse toucher par l'autre, par ses souffrances, par le cri de son être. L'autre se sent alors compris et aimé en lui-même; il va ouvrir son cœur, il a confiance. La thérapie risque alors d'être véritable, la guérison proche. Mais l'attitude de compassion demande du temps, de la patience, de l'écoute, elle demande la capacité d'accepter chaque personne telle qu'elle est. [...] On soigne alors la personne et pas seulement la maladie ou une partie du corps[8].»

Être à l'écoute de cette manière, c'est comprendre les malades Alzheimer qui, même s'ils sont handicapés, n'en demeurent pas moins des personnes avec «un cœur qui a besoin d'aimer et d'être aimé[9]». En tenant compte de cette vérité, les parents, les bénévoles, le personnel soignant ne peuvent faire fausse route. Les malades eux-mêmes continueront de progresser intérieurement à leur manière, par la voie du cœur, répondant à l'estime et à l'amitié que nous leur manifestons. Les malades Alzheimer, ne l'oublions pas, ont besoin de se redécouvrir une identité personnelle à travers leur nouvel état et nous pouvons les y aider par l'ouverture et la sympathie dont nous faisons preuve à leur égard. Comme l'a dit encore Jean Vanier à propos des handicapés mentaux, «il faut leur faire découvrir que nous sommes heureux qu'ils existent, que nous les aimons et les acceptons tels qu'ils sont[10]». Par là, nous montrons que rien n'est vraiment perdu pour les uns et pour les autres. Même les moments de tristesse, d'angoisse et de crise qui ont, nous l'avons vu, un aspect déconcertant et parfois si déprimant, peuvent avoir un côté positif, tant pour le malade que pour nous-mêmes. L'accompagnement est une sorte d'épreuve que nous vivons en communion avec le malade. Nous entrons dans son monde à lui, dans ses angoisses, dans ses peurs, bref dans son univers de représentation et d'émotion. Cette communion établit une sorte de pont, un lien de confiance réciproque. Et ce lien entre les personnes qui y sont impliquées, lien très fort quoique tout spirituel, fait que les consciences en présence n'ont pas besoin de mots pour se comprendre. Quelque chose de mystérieux, mais de très réel, les unit ainsi l'une à l'autre dans leur profondeur. Chacune ressort alors grandie de cette expérience. Ainsi, les malades Alzheimer ne sont pas du tout ces «inutiles» que certains veulent croire, ils sont là pour nous, à leur place, en ce moment précis. En d'autres termes, ils sont là tout spécialement pour nous aider nous-mêmes à devenir plus humains en éveillant nos cœurs. Bref, ces personnes apparemment appauvries, que nous aidons à ne pas sombrer, nous enrichissent et, par le mystère de la communion, nous grandissent spirituellement[11]. C'est peut-être pour cela que tant de bénévoles m'ont dit, au retour de leurs heures de service: «Ces malades font pour nous plus que nous ne faisons pour eux.»

Références

[1] Ce code recoupe d'ailleurs la Charte des Droits qui se trouve si opportunément affichée dans la partie des maisons de retraite où résident les Alzheimers, mais il essaie de prolonger cette Charte, déjà très précise en elle-même, par une suite de recommandations adaptées de plus près aux situations variées qu'on rencontre dans les divers rapports avec ces personnes et surtout de mettre en relief l'aspect psychologique et moral de ces rapports.

J'ai remarqué également que l'Association des Nouveaux Droits de l'Homme à Paris tente de moderniser la Déclaration en ajoutant l'article 27: «Les enfants, les handicapés et les personnes âgées, étant par nature plus menacés, la collectivité doit, au moyen d'une législation particulière, leur assurer une protection adaptée.» Revue *Arc-en-Ciel*, 2e trimestre 1999.

[2] Jean Vanier, *Toute personne est une histoire sacrée*, p. 170. Jean Vanier est le fondateur de L'Arche en France.

[3] *Ibid.*, p. 57.

[4] *Ibid.*, p. 57.

[5] *Ibid.*, p. 22.

[6] *Ibid.*, p. 52.

[7] Voir *ibid.*, pp. 92-93: On peut se demander si l'exemple de Lucien ne nous éclairerait pas sur le cas des malades Alzheimer qui crient toute la journée et qu'il est fort difficile de soigner et de calmer.

[8] *Ibid.*, pp. 87-88.

[9] *Ibid.*, p. 216.

[10] *Ibid.*, p. 55.

[11] Voir *ibid.*, p. 51 et pp. 245-247: «La communion se fonde sur une confiance mutuelle où chacun donne à l'autre et reçoit dans ce qu'il y a de plus

profond et de plus silencieux de son être.[...] Quand on regarde ce pauvre comme un autre soi-même, on ne le juge pas, on commence à comprendre ses souffrances, on est une personne humaine; il a un cœur et une sensibilité qui ont été blessés. Cette communion ou rencontre est une réalité belle et mystérieuse. [...] Elle met chacun dans un état de vulnérabilité et d'ouverture, à tel point qu'on ne sait pas bien où elle peut mener. En elle, il y a quelque chose de divin, de supra, et infrarationnel, comme une présence de Dieu. On est pauvre l'un devant l'autre. On découvre qu'on n'a rien d'extérieur à donner, seulement son cœur, son amitié, sa présence. Et tout cela se passe avec peu de paroles, à travers le regard et le toucher. C'est à ce moment qu'on découvre qu'en cette personne affaiblie, en détresse, il y a une lumière qui brille, qu'en l'écoutant on est enrichi, on apprend quelque chose de l'humain et de Dieu. C'est un moment de communion qui est source de guérison pour les deux.»

Définition médicale de la maladie d'Alzheimer

La maladie d'Alzheimer est la conséquence d'une altération cérébrale et physique lente et progressive dont les symptômes sont si subtils au début que rien de clairement anormal n'est décelé par le patient ou par son entourage. Toutefois, la maladie évolue: les troubles deviennent de plus en plus évidents et, à un stade avancé de la maladie, la mémoire est atteinte. Il y a ensuite désorientation spatio-temporelle: des troubles du langage, du raisonnement, du jugement apparaissent, accompagnés de troubles moteurs. [...] La maladie d'Alzheimer est une affection dégénérative, évolutive et handicapante[1].

Références

[1] M. Khosravi, *La vie quotidienne du malade Alzheimer*, Doin, Paris, 1995. «Aloïs Alzheimer, né en 1864 en Bavière, publia en 1906 et en 1911 deux rapports d'autopsie du cerveau de deux personnes de 51 et 56 ans, qui présentaient une démence sénile caractérisée par la dégénérescence neuro-fibrillaire et de nombreuses plaques bizarres entourées de cellules nerveuses et de cellules bordées de fibres. Kreoplin, psychiatre (1856-1926), nomma cette forme de démence pré-sénile, maladie d'Alzheimer.»

BIBLIOGRAPHIE SOMMAIRE

Livres

AMBROSELLI, C., *L'éthique médicale*, Paris, PUF (Que sais-je?), 1998.

BOITTE, P., *Pour une société de la santé publique dans une société vieillissante*, Paris, Artel-Fidès, 1997.

BOKOV, N., *Dans la rue à Paris*, Éditions Noir sur Blanc, 1999.

CAPPELIEZ, P., LANDREVILLE, P. et VÉZINA, J., *Psychologie gérontologique*, Montréal, Gaëtan Morin, 1994.

DOUCHET, H. et LARROUCHE, J.M., *Ethique, santé et société* (Série de conférences), Ottawa, Presses Université St-Paul, 1994.

EMMANUELLI, X., *L'homme n'est pas la mesure de l'homme*, Paris, Presses de la Renaissance, 1998.

ETCHEGOYEN, A., *Les entreprises ont-elles une âme?*

FORTIN, M., *La saison des fruits*, Montréal-Paris, Médiaspaul, 1995.

GARCEAU, B., *La voie du désir*, Montréal-Paris, Médiaspaul, 1997.

GUARD, O. et MICHEL, B. (dir), *La maladie d'Alzheimer*, Paris, Medsi-McGraw-Hill, Healthcare Group, 1989.

GYATSO, T. (Le Dalai Lama), *Sagesse ancienne, monde moderne. Éthique pour le nouveau millénaire* (traduit de l'anglais par Éric Diacon), Paris, Fayard, 1999.

JEAN-PAUL II (SS), *Au delà de la peur*, Paris, Ramsay, 1995.

———, *Le sens chrétien de la souffrance humaine*, Paris, Centurion, 1984.

KANT, E., *Métaphysique des mœurs*.

KHOSRAVI, M., *La vie quotidienne du malade Alzheimer,* Paris, Doin, 1995.

LAMAU, M.L., *Soins palliatifs, origine, inspiration, enjeu éthique,* Paris, Centurion, 1994.

MARTIN, E.S. et JUDOS, J.P, *Abrégé de gérontologie,* Paris, Masson, 1983.

MAURER, Konrad et Ulrike, *Histoire d'une maladie* (Biographie d'Aloïs Alzheimer, traduit de l'allemand par Odette et Régina Langer), Paris, Michalon, 1999.

MÈRE TERESA, *Un chemin tout simple,* Paris, Presses Pocket, 1995.

MOUSSÉ, J., *Éthique et entreprises,* Paris, Vuibert, 1993.

THÉVENOT, X., *La bio-éthique,* Paris, Centurion, 1989.

VANIER, J., *Toute personne est une histoire sacrée,* Paris, Plon, 1998.

WOOLF, V., Les Vagues, traduction de *The Waves* (trad. de l'auteure), Paris, Nathan, Seuil, 1956.

ZARIT, S.S.J.M., *The hidden victim of Alzheimer's Diseases,* NYP, 1985.

Articles

ARCAND, H., «Psychologie du vieillissement» et «Démence de type Alzheimer», *Précis pratique de gériatrie,* pp. 35-46, 173-181.

BARINAGA, M., «Neurodegenerative Diseases: Alzheimer's Treatments that Work Now. Caregivers Need Healing Too», *Science* (American association for the advancement of science), vol. 282, 6 novembre 1998, n° 5391, pp. 1030-1032.

BARINAGA, M., «Neurobiology: An Immunization Against Alzheimer's», *Science* (American association for the advancement of science), vol. 285, n° 5425, juillet 1989, pp. 175-183.

BEUZARD, M., «L'hippocampe: la plaque tournante de la mémoire», *Le Figaro,* Sciences, souvenirs récents ou anciens, 12 août 1999, p. 8. (La petite circonvolution du cerveau joue un rôle clé dans la mémorisation, c'est elle qui range les souvenirs dans différentes régions du cerveau.)

CHERNIN, S., «Pensionnaires, Sachez vos droits», Advocacy Centre for the Elderly et Information juridique communautaire de l'Ontario, 1990.

Communication de l'Association des Nouveaux Droits de l'Homme à Paris, Revue *Arc-en-Ciel,* 2ᵉ trimestre 1999.

«Compte rendu du livre *La vie d'un médecin»,* *Le Figaro*, 30 septembre 1999.

FREIDLAND, R.P. et KRESNER, B., «Managing Alzheimer's Patients», *Science* (American association for the advancement of science), vol. 282, 18 novembre 1998, n° 5397, pp. 2194-2195.

«La maladie d'Alzheimer n'est pas une fatalité héréditaire» (À l'occasion de la sixième journée mondiale de l'Alzheimer, une entrevue du professeur Bruno Dubois, propos recueillis par Dr Martine Perez), *Le Figaro*, 21 septembre 1999, p. 20.

«La maladie d'Alzheimer, renseignements à l'intention des familles», Santé et Bien-Être du Canada, mars 1984.

MARX, J., «New Gene Tied to Commom form of Alzheimer's», *Science* (American association for the advancement of science), vol. 281, 24 juillet 1998, pp. 507-509.

MOREAU, A., «Réflexions d'insatisfaction sur la vieillesse», dans AUMONT, M., *Abrégé de gérontologie.*

MORINI-BOSC, I., *TV Magazine*, janvier 1999, p. 4.

MURATORI-PHILIP, A., «Alzheimer: Victime d'un trou de mémoire collectif», *Le Figaro*, 30 septembre 1999.

PARÉ, S. et PLAMONDON, G.L., «Les éléments de la crise de la retraite», dans AUMONT, M., *Abrégé de gérontologie.*

PENNISI, E., «Neuroscience: Enzymes Point Way to Potential Alzheimer's Therapies», *Science* (American association for the advancement of science), vol. 286, n° 5440, octobre 1999, pp. 650-651.

REISBERG, B., «Neurobiology: New Leads to Brain Neuron Regeneration», *Science* (American association for the advancement of science), vol. 282, n° 5391, 6 novembre 1998.

REISBERG, B., «A New Science of Alzheimer's Management», *Science* (American association for the advancement of science), vol. 282, n° 5391, 6 novembre 1998.

«Valeurs, attitudes et comportements religieux», dans AUMONT, M., *Abrégé de gérontologie.*

TABLE DES MATIÈRES

Collection
VIVRE PLUS

1. SURVIVRE AU DEUIL
   Isabelle Delisle

2. PRENDRE SA VIE EN MAIN
   Jeannine Guindon et Julien Alain

3. PÉDAGOGIE DE L'ÉVEIL
   ET CROISSANCE SPIRITUELLE DES TOUT-PETITS
   Hayat Makhoul-Mirza

4. DE LA SOUFFRANCE À LA PAIX
   Ignace Larrañaga

5. PÉDAGOGIE DIFFÉRENCIÉE ET CROISSANCE
   SPIRITUELLE DES ÉCOLIERS
   Hayat Makhoul-Mirza

6. L'ART ET LES VOIX DE L'ACCOMPAGNEMENT
   Sylvain Néron

7. PARLER L'AMOUR
   Piero Balestro

8. VIVRE DEBOUT
   Gaétan Renaud

9. GRANDIR DANS L'ESPÉRANCE
   François Gervais

10. RÉUSSIR SA RETRAITE
    Isabelle Delisle

11. LA CONSCIENCE CHEZ LES PERSONNES ALZHEIMER
    Marie Guertin

Achevé d'imprimer
en mars 2000
sur les presses de
Imprimerie H.L.N.

Imprimé au Canada – Printed in Canada